Guia de Comunicação de
Más Notícias

Guia de Comunicação de Más Notícias

Editores
| Aécio Flávio Teixeira de Góis
André Castanho de Almeida Pernambuco

Coordenadores
| Guilherme Liausu Cherpak
Henry Porta Hirschfeld
Lucas Guimarães M. dos Santos
Maria Carolyna F. Batista Arbex

EDITORA ATHENEU

São Paulo	Rua Jesuíno Pascoal, 30 Tel.: (11) 2858-8750 Fax: (11) 2858-8766 E-mail: atheneu@atheneu.com.br
Rio de Janeiro	Rua Bambina, 74 Tel.: (21)3094-1295 Fax: (21)3094-1284 E-mail: atheneu@atheneu.com.br

CAPA: Equipe Atheneu
PRODUÇÃO EDITORIAL: MKX Editorial

CIP-BRASIL. Catalogação na Publicação
Sindicato Nacional dos Editores de Livros, RJ

G971

Guia de comunicação de más notícias / editores Aécio Flávio Teixeira de Góis, André Castanho de Almeida Pernambuco ; coordenação Guilherme Liausu Cherpak ... [et al.]. - 1. ed. - Rio de Janeiro : Atheneu, 2019.

Inclui bibliografia
ISBN 978-85-388-0949-4

1. Emergências médicas. 2. Comunicação na medicina. 3. Pessoal da área médica e paciente. 4. Comunicação - Aspectos psicológicos. I. Góis, Aécio Fávio Teixeira. II. Pernambuco, André Castanho de Almeida. III. Cherpak, Guilherme Liausu.

19-54602

CDD: 616.025
CDU: 616-083.98

Meri Gleice Rodrigues de Souza - Bibliotecária CRB-7/6439
04/01/2019   07/01/2019

GÓIS, A.F.T; PERNAMBUCO, A.C.A.
Guia de Comunicação de Más Notícias

©Direitos reservados à EDITORA ATHENEU – São Paulo, Rio de Janeiro, 2019.

Editores

Aécio Flávio Teixeira de Góis

Coordenador da Graduação de Medicina da Escola Paulista de Medicina da Universidade Federal de São Paulo (EPM/Unifesp). Professor Adjunto de Medicina de Urgência/Medicina Baseada em Evidências (MBE) na EPM/Unifesp. Coordenador das Emergências Clínicas do Hospital São Paulo da EPM/Unifesp. Clínico Geral, Cardiologista, Emergencista e Intensivista.

André Castanho de Almeida Pernambuco

Médico-Assistente da Disciplina de Geriatria da Escola Paulista de Medicina da Universidade Federal de São Paulo (EPM/Unifesp). Coordenador da Interconsulta de Geriatria da Disciplina de Geriatria da EPM/Unifesp. Preceptor da Enfermaria de Geriatria da Disciplina de Geriatria da EPM/Unifesp. Coordenador da Enfermaria de Cuidados Paliativos da Disciplina de Medicina de Urgência da EPM/Unifesp. Membro do Corpo Clínico do Hospital Israelita Albert Einstein (HIAE).

Coordenadores

Guilherme Liausu Cherpak

Médico Geriatra pela Universidade Federal de São Paulo (Unifesp) e pela Sociedade Brasileira de Geriatria e Gerontologia e Associação Médica Brasileira (SBGG/AMB). Mestre-Profissional em Tecnologias e Atenção à Saúde pela Unifesp. Médico Afiliado do Ambulatório de Dor e Doenças Osteoarticulares da Disciplina de Geriatria e Gerontologia da Unifesp.

Henry Porta Hirschfeld

Graduado em Medicina pela Universidade Federal de São Paulo (Unifesp). Residência em Clínica Médica, Geriatria e Mestrado pela Unifesp. Especialista em Geriatria pela Sociedade Brasileira de Geriatria e Gerontologia (SBGG). Preceptor da Enfermaria de Geriatria da Unifesp. Coordenador da Equipe dos Hospitalista do Hospital Beneficência Portuguesa (BP).

Lucas Guimarães Machado dos Santos

Médico graduado pela Universidade Federal de São Paulo (Unifesp). Especialista em Clínica Médica e Geriatria pela Unifesp e Certificado pela Sociedade Brasileira de Geriatria e Gerontologia (SBGG). Preceptor Voluntário do Ambulatório de Longevos da Disciplina de Geriatria e Gerontologia do Hospital São Paulo da Unifesp. Professor de *Cultivanting Emotional Balance* formado pelo Santa Barbara Institute of Consciousness. Gerente de Práticas Médicas da Beneficência Portuguesa (BP) de São Paulo.

Maria Carolyna Fonseca Batista Arbex

Médica graduada pela Escola Paulista de Medicina da Universidade Federal de São Paulo (EPM/Unifesp). Residência em Clínica Médica e Geriatra pela EPM/Unifesp. Especialista em Geriatria pela Sociedade Brasileira de Geriatria e Gerontologia (SBGG) e pela EPM/Unifesp. Médica-Assistente do Ambulatório de Dor e Doenças Osteoarticulares da Disciplina de Geriatria e Gerontologia da EPM/Unifesp. Professora de Semiologia Médica e Médica-Assistente do Ambulatório de Memória e Geriatria Geral da Disciplina de Geriatria da Universidade de Araraquara (UNIARA). Mestre Profissional pelo Programa de Pós-Graduação em Tecnologias e Atenção à Saúde da EPM/Unifesp. Especialista em Cuidados Paliativos pela Universidad del Salvador – Instituto Pallium Latinoamérica.

Colaboradores

Alessandra Duarte Santiago

Enfermeira graduada pela Universidade Federal de São Paulo (Unifesp). Especialista pelo Programa de Residência Multiprofissional em Transplante e Captação de Órgãos pela Unifesp. Mestre em Ciências da Saúde pela Unifesp. Enfermeira Responsável pela Comissão Intra-Hospitalar de Doação de Órgãos e Tecidos para Transplantes (CIHDOTT) do Hospital São Paulo da EPM/Unifesp.

Alessandra Rodrigues Fiuza

Médica graduada pela Universidade Estadual de Campinas (Unicamp). Especialista em Clínica Médica pela Unicamp. Especialista em Geriatria pela Escola Paulista de Medicina da Universidade Federal de São Paulo (EPM/Unifesp) e pela Sociedade Brasileira de Geriatria e Gerontologia (SBGG). Mestre em Tecnologias de Saúde pela EPM/Unifesp.

Bartira de Aguiar Roza

Professora-Associada da Escola Paulista de Enfermagem da Universidade Federal de São Paulo (EPE/Unifesp). Líder do Grupo de Estudos em Doação de Órgãos e Tecidos para Transplantes (GEDOTT).

Bianca Orestes Antunes

Fisioterapeuta graduada na Faculdade de Medicina de Ribeirão Preto da Universidade de São Paulo (FMRP-USP). Residência Multiprofissional na Atenção Hospitalar com Área de Concentração em Urgência e Emergência pela Universidade Federal de São Paulo (Unifesp). Pós-Graduação no Curso Introdutório de Orientação em Cuidados Paliativos e Psico-Sócio-Oncologia (Nível Atualização) pelo Instituto Pallium Latinoamérica. Assistente de Fisioterapia – Toronto College Rehab – Canadá.

Carolina de Oliveira Cruz Latorraca

Graduação em Psicologia pela Universidade Federal de São Paulo (Unifesp). Mestre em Ciências pelo Programa de Pós-Graduação em Saúde Baseada em Evidências da Unifesp e Doutoranda pelo mesmo programa. Especialista em Psicologia da Saúde pelo Programa de Urgência e Emergência da Residência Multiprofissional do Hospital São Paulo da Unifesp. Especialista em Cuidados Paliativos pelo Instituto Pallium Latinoamérica. Pesquisadora Voluntária no Cochrane Brazil e Membro do Núcleo de Ensino e Pesquisa em Saúde Baseada em Evidências e Avaliação Tecnológica em Saúde (NEP-BEATS).

Cinthia Medice Nishide de Freitas

Geriatra e Mestre em Geriatria pela Escola Paulista de Medicina da Universidade Federal de São Paulo (EPM/Unifesp). Especialista em Clínica Médica pela Casa de Saúde Santa Marcelina de São Paulo. Graduação em Medicina pela Faculdade de Medicina de São José do Rio Preto (FAMERP).

Cybelle Maria da Costa Diniz

Coordenadora Clínica do Ambulatório de Neuropsiquiatria da Disciplina de Geriatria e Gerontologia da Universidade Federal de São Paulo (Unifesp). Médica-Assistente do Ambulatório de Neurologia do Comportamento da Unifesp. Mestre em Ciências da Saúde pela Disciplina de Neurologia na Universidade Federal de São Paulo (Unifesp). Especialista em Geriatria e Gerontologia pela Sociedade Brasileira de Geriatria e Gerontologia e Associação Médica Brasileira (SBGG/AMB). Residência Médica em Clínica Médica pela Unifesp. Graduação em Medicina pela Universidade Federal de Pernambuco (UFPE).

Daniel Antunes Alveno

Fisioterapeuta. Mestre em Ciências da Reabilitação. Coordenador do Curso de Fisioterapia na Universidade Anhanguera de São Paulo (UNIAN) – Unidade ABC. Coordenador do Programa de Residência Multiprofissional em Urgência e Emergência da Universidade Federal de São Paulo (Unifesp).

Daniel Fernandes Saragiotto

Médico pela Faculdade de Medicina da Universidade de São Paulo (FMUSP). Residência em Clínica Médica e Cancerologia Clínica pelo Hospital das Clínicas da FMUSP (HCFMUSP). Médico do Centro de Oncologia do Hospital Sírio-Libanês (HSL) – Unidade Itaim. Coordenador da Residência Médica em Oncologia do HSL. Responsável pela Residência Médica em Cancerologia Clínica no Instituto do Câncer do Estado de São Paulo da FMUSP (ICESP-FMUSP).

Daniela Regina Brandão Tavares

Médica Geriatra graduada pela Universidade Federal de São Paulo (Unifesp). Titulada em Geriatria pela Sociedade Brasileira de Geriatria e Gerontologia (SBGG). Membro do Grupo de Dor e Doenças Osteoarticulares da Disciplina de Geriatria da Unifesp.

Fabiano Abrantes

Neurologista. Preceptor do Programa de Residência Médica em Neurologia da Escola Paulista de Medicina da Universidade Federal de São Paulo (EPM/Unifesp).

Franciellen Bruschi Almonfrey

Formada em Geriatria e Gerontologia pela Escola Paulista de Medicina da Universidade Federal de São Paulo (EPM/Unifesp). Médica Geriatra Titulada pela Sociedade Brasileira de Geriatria e Gerontologia (SBGG).

Gabriela Haas H. Barros

Médica graduada pela Universidade Federal do Rio de Janeiro (UFRJ). Especialista em Clínica Médica e Geriatria pela Escola Paulista de Medicina da Universidade Federal de São Paulo (EPM/Unifesp). Título de Especialista em Geriatria e Gerontologia pela Sociedade Brasileira de Geriatria e Gerontologia (SBGG). Mestre Profissional em Tecnologias e Atenção à Saúde pela Unifesp.

Haniel Passos Eller

Médico Especialista em Clínica Médica pela Escola Superior de Ciências da Saúde, vinculada ao Hospital Regional de Sobradinho da Fundação de Ensino e Pesquisa em Ciências da Saúde da Secretaria de Estado de Saúde do Distrito Federal (HRS-FEPECS-SES/DF). Residência em Clínica Médica – Ano Adicional e Geriatria pela Escola Paulista de Medicina da Universidade Federal de São Paulo (EPM/Unifesp). Mestre Profissional em Tecnologias e Atenção à Saúde pela Unifesp.

Jeanne Pilli

Farmacêutica-Bioquímica graduada pela Faculdade de Ciências Farmacêuticas da Universidade de São Paulo (FCF-USP). Professora do Programa de Pós-Graduação em Gestão Emocional nas Organizações no Instituto de Ensino e Pesquisa do Hospital Israelita Albert Einstein (IEP-HIAE).

João Antônio Gonçalves Garreta Prats

Infectologista do Grupo de Micologia Clínica e Doutorando em Infectologia da Escola Paulista de Medicina da Universidade Federal de São Paulo (EPM/Unifesp). Coordenador da Unidade de Decisão Clínica do Hospital Beneficência Portuguesa (BP) de São Paulo. Infectologista Clínico/Serviço de Controle de Infecção Hospitalar (SCIH) no Hospital Novo Atibaia. Professor Convidado de Clínica Médica na Universidade São Francisco.

José Cássio do Nascimento Pitta

Graduado em Medicina pela Faculdade de Ciências Médicas da Santa Casa de São Paulo (FCMSCSP). Especialista em Psicopatologia e Psicoterapia Psicanalítica pelo Instituto Sedes Sapientiae. Especialista em Psiquiatria pelo Conselho Regional de Medicina de São Paulo (CRM-SP). Especialista em Psiquiatria pela Associação Brasileira de Psiquiatria (ABP). Mestre em Psiquiatria e Psicologia Médica pela Universidade Federal de São Paulo (Unifesp). Residência Médica pela Unifesp.

Julliana Lianzza Fernandes Silva Pinheiro

Médica graduada pela Universidade Federal do Rio Grande do Norte (UFRN). Residência de Clínica Médica na Universidade Estadual de São Paulo em Botucatu (UNESP-Botucatu). Residência de Geriatria pela Universidade Federal de São Paulo (Unifesp). Mestre em Depressão no Idoso pela Unifesp. Preceptora da Residência de Geriatria do Hospital Israelita Albert Einstein (HIAE). Título de Especialista pela Sociedade Brasileira de Geriatria e Gerontologia (SBGG). Afiliada do Ambulatório de Geriatria da Unifesp.

Luciana Machado Paschoal

Médica Especialista em Geriatria pela Sociedade Brasileira de Geriatria e Gerontologia (SBGG). Médica Preceptora da Residência de Geriatria do Hospital Israelita Albert Einstein (HIAE). Médica Especialista em Clínica Médica pela Sociedade Brasileira de Clínica Médica (SBCM).

Lucíulo Melo

Graduação em Medicina pela Universidade Federal de Pernambuco (UFPE). Especialista/Residência em Clínica Médica e Geriatria pela Escola Paulista de Medicina da Universidade Federal de São Paulo (EPM/Unifesp). Título de Especialista pela Sociedade Brasileira de Geriatria e Gerontologia e Associação Médica Brasileira (SBGG/AMB).

Marcelo Malandrino de Albuquerque Felizola

Formação em Clínica Médica pela Escola Paulista de Medicina da Universidade Federal de São Paulo (EPM/Unifesp). Formação em Oncologia Clínica e Médico-Assistente no Instituto do Câncer do Estado de São Paulo da Faculdade de Medicina da Universidade de São Paulo (ICESP-FMUSP). Oncologista da Rede D'Or São Luiz.

Márcia Valéria de Andrade Santana

Médica graduada pela Universidade Federal de Sergipe (UFS). Residência em Clínica Médica pelo Hospital Heliópolis e em Geriatria pela Escola Paulista de Medicina da Universidade Federal de São Paulo (EPM/Unifesp). Título de Especialista em Geriatria pela Sociedade Brasileira de Geriatria e Gerontologia (SBGG). Especialista em Cuidados Paliativos pela Casa do Cuidar – São Paulo. Preceptora do Ambulatório de Dor e Doenças Osteo-articulares da Disciplina de Geriatria e Gerontologia da Unifesp.

Maria Fernanda Guerini

Médica Geriatra. Residência de Geriatria no Hospital Israelita Albert Einstein (HIAE). Especialista pela Sociedade Brasileira de Geriatria e Gerontologia (SBGG). Especialista em Distúrbios Cognitivos pela Faculdade de Medicina da Universidade de São Paulo (FMUSP).

Marina C. Rachid Miragaia

Médica graduada pela Escola Paulista de Medicina da Universidade Federal de São Paulo (EPM/Unifesp). Residência de Clínica Médica e Geriatra pela EPM/Unifesp. Especialista pela Sociedade Brasileira de Geriatria e Gerontologia (SBGG) e pela Comissão Nacional de Residência Médica (CNRM). Preceptora do Ambulatório de Promoção à Saúde da Disciplina de Geriatria e Gerontologia da EPM/Unifesp.

Paulo Roberto Abrão Ferreira

Professor Afiliado da Disciplina de Infectologia da Universidade Federal de São Paulo (Unifesp). Responsável pelo Ambulatório de HIV e Hepatites Virais. Médico do Ambulatório de HIV e Hepatites Virais do Centro de Referência e Treinamento (CRT) DST Aids de São Paulo.

Pérola de Almeida

Médica Geriatra pela Universidade Federal de São Paulo (Unifesp) e pela Sociedade Brasileira de Geriatria e Gerontologia (SBGG). Mestrado Profissional em Tecnologias e Atenção à Saúde pela Unifesp. Assistente do Ambulatório de Casos Novos da Disciplina de Geriatria e Gerontologia da Unifesp.

Rafael Latorraca

Médico e Psiquiatra pela Escola Paulista de Medicina da Universidade Federal de São Paulo (EPM/Unifesp). Pós-Graduação em Dependência Química pela Unidade de Pesquisa em Álcool e Drogas (UNIAD) e EPM/Unifesp. Preceptor do 2º ano da Residência Médica de Psiquiatria da Faculdade de Medicina do ABC (FMABC). Preceptor do 6º semestre de Medicina da Universidade Municipal de São Caetano do Sul (USCS). Colaborador Voluntário do Programa de Atendimento e Pesquisa em Violência (PROVE) da EPM/Unifesp.

Renato Delgado Galibert

Médico graduado pela Faculdade de Medicina de Marília (FAMEMA). Residência de Clínica Médica e Geriatria pela Universidade Federal de São Paulo (Unifesp). Especialista em Geriatria pela Sociedade Brasileira de Geriatria e Gerontologia (SBGG). Médico do Núcleo de Apoio e Planejamento da Alta (NAPA) no Hospital Beneficência Portuguesa (BP). Médico Preceptor do Ambulatório de Cuidadores da Disciplina de Geriatria e Gerontologia da Unifesp.

Ricardo Humberto de Miranda Félix

Médico formado pela Universidade Federal do Rio Grande do Norte (UFRN). Residência em Clínica Médica, Geriatria e Mestrado pela Escola Paulista de Medicina da Universidade Federal de São Paulo (EPM/Unifesp).

Simone de Barros Tenore

Médica pela Universidade Federal do Espírito Santo (UFES). Residência em Infectologia na Universidade Federal de São Paulo (Unifesp). Mestrado em Infectologia pela Unifesp. Médica-Assistente da Unifesp. Responsável pelo Ambulatório de Pacientes Multiexperimentados com Resistência Antirretroviral. Médica-Assistente do Centro de Referência e Treinamento (CRT) DST Aids de São Paulo. Diretora do Ambulatório de Hepatites Virais do CRT DST Aids de São Paulo.

Tatiana Elias de Pontes

Graduação em Medicina pela Escola Paulista de Medicina da Universidade Federal de São Paulo (EPM/Unifesp). Residência em Clínica Médica e em Geriatria pela EPM/Unifesp. Especialista em Clínica Médica pela Sociedade Brasileira de Clínica Médica (SBCM). Especialista em Geriatria pela Sociedade Brasileira de Geriatria e Gerontologia (SBGG). Médica-Assistente do Ambulatório de Longevos da Disciplina de Geriatria e Gerontologia da EPM/Unifesp.

Vanessa Nishiyama Matsunaga

Médica-Assistente do Ambulatório de Cuidadores da Disciplina de Geriatria e Gerontologia pela Escola Paulista de Medicina da Universidade Federal de São Paulo (EPM/Unifesp). Especialista em Geriatria pela Unifesp e pela Sociedade Brasileira de Geriatria e Gerontologia (SBGG).

Prefácio

Sobre a comunicação humana

Podemos conversar horas, dias, anos, vidas sobre o tema de comunicação. Mas um dos temas mais desafiadores do processo de comunicação está no contato entre profissionais de saúde e pessoas com doenças que ameaçam a continuidade da vida. Ser o responsável por guiar uma notícia ruim até a vida de um ser humano que adoeceu gravemente passa por um espaço imenso de compreensão entre o que é dito e o que é ouvido. A importância de aprendizagem responsável e tecnicamente qualificada é vital para a continuidade de cuidados dessa assistência tão valiosa que são os Cuidados Paliativos. Um profissional de saúde que não saiba fundamentar sua prática na excelência da capacidade de se comunicar pode pôr em risco todo o resultado dessa assistência. Neste livro, mora uma boa possibilidade de perceber o tamanho do compromisso de cada um dos autores sobre a importância de comunicar-se. Técnicas, reflexões, exemplos, guias, tabelas, números. Considerações científicas e bases filosóficas que regem a condição humana ao longo de toda a história da humanidade devem fazer parte do dia a dia de aprendizado dos profissionais de saúde.

A consciência de ter fim deve nos garantir que, em cada momento de nossas vidas, estamos fazendo o melhor. A entrega a cada momento vivenciado, tanto para o paciente quanto para o profissional que cuida, faz do resultado desse encontro algo transformador para ambos. No processo de comunicação, mesmo que o profissional acredite que apenas a técnica o orienta, a profundidade de tudo o que paciente comunica para além de suas palavras traz a possibilidade de manutenção de um vínculo de confiança entre essas partes. Esse encontro, no tempo presente, em que nos comunicamos com base em nossas possibilidades, é único. Mesmo que você leia este texto mil vezes, a primeira será diferente da milésima. Por isso, a importância de entender que o milagre da comunicação humana acontece sempre que duas pessoas se encontram e estão dispostas a uma conversa que pode mudar a vida delas definitivamente. Não apenas para pior, como pensamos quando damos uma má notícia, mas uma mudança esperada para um tempo em que não estaremos sozinhos, em que não seremos abandonados, em que não teremos nosso sofrimento ignorado. O tempo não se repete. As histórias parecem se repetir, mas na verdade são únicas em cada momento em que se realizam. Como profissional de saúde, sei o quanto é desafiador encarar que temos limites. A vida, a nossa voz e a nossa compreensão têm limites. Todas as pessoas têm limites, tudo tem um limite. O livro sobre suas mãos e sob seus olhos traz uma proposta realmente coerente com o que se propõe um profissional de saúde que se responsabiliza pelos cuidados de uma pessoa que sofre por uma doença que ameaça sua vida. Comunicar-se é a base dele! Sigam nessa direção!

Ana Claudia Quintana Arantes

Sumário

1 Introdução 1
Aécio Flávio Teixeira de Góis
Maria Carolyna Fonseca Batista Arbex
Daniela Regina Brandão Tavares
André Castanho de Almeida Pernambuco

2 Ética em Cuidados Paliativos 9
André Castanho de Almeida Pernambuco
Marina C. Rachid Miragaia
Tatiana Elias de Pontes

3 Técnicas de Comunicação 23
Guilherme Liausu Cherpak
Cinthia Medice Nishide de Freitas
Márcia Valéria de Andrade Santana

4 Barreiras para uma Comunicação Eficaz 31
Guilherme Liausu Cherpak
Luciana Machado Paschoal
Maria Fernanda Guerini

5 Religiosidade e Espiritualidade na Comunicação de Más Notícias 39
André Castanho de Almeida Pernambuco
Julliana Lianzza Fernandes Silva Pinheiro
Lucas Guimarães Machado dos Santos
Pérola de Almeida

6 Reunião Familiar 65
André Castanho de Almeida Pernambuco
Gabriela Haas H. Barros
Vanessa Nishiyama Matsunaga

7 Comunicação na Emergência Médica –
   Um Desafio Cotidiano 75
   Aécio Flávio Teixeira de Góis
   Alessandra Rodrigues Fiuza

8 Oncologia. 83
   Daniel Fernandes Saragiotto
   Henry Porta Hirschfeld
   Marcelo Malandrino de Albuquerque Felizola

9 Comunicação na Morte Encefálica e Processo de
   Doação-Transplante de Órgãos 93
   Bartira de Aguiar Roza
   Alessandra Duarte Santiago
   Lucas Guimarães Machado dos Santos

10 Doenças Neurológicas 107
   Cybelle Maria da Costa Diniz
   Franciellen Bruschi Almonfrey
   Fabiano Abrantes

11 Doenças Cardíacas e Pulmonares 123
   Aécio Flávio Teixeira de Góis
   Renato Delgado Galibert

12 Doenças Infecciosas. 147
   Simone de Barros Tenore
   Paulo Roberto Abrão Ferreira
   Haniel Passos Eller
   João Antônio Gonçalves Garreta Prats

13 Comunicação de Más Notícias em Transtornos
   Psiquiátricos 161
   José Cássio do Nascimento Pitta
   Rafael Latorraca

14 Comunicação na Fase Final de Vida............. 171
Lucíulo Melo
Ricardo Humberto de Miranda Félix

15 O Papel da Equipe Multiprofissional na
Comunicação de Más Notícias.................. 181
Aécio Flávio Teixeira de Góis
Alessandra Duarte Santiago
Bianca Orestes Antunes
Carolina de Oliveira Cruz Latorraca
Daniel Antunes Alveno
Lucas Guimarães Machado dos Santos

16 Compaixão..................................... 191
Lucas Guimarães Machado dos Santos
Jeanne Pilli

Índice Remissivo 215

1

Introdução

Aécio Flávio Teixeira de Góis
Maria Carolyna Fonseca Batista Arbex
Daniela Regina Brandão Tavares
André Castanho de Almeida Pernambuco

A comunicação de qualidade com pacientes, familiares e equipe de saúde é um pilar fundamental para que o cuidado seja bem-sucedido. Pode ser considerada uma medida terapêutica quando utilizadas estratégias de comunicações adequadas. Médicos e profissionais de saúde que se comunicam efetivamente com seus pacientes são capazes de identificar os problemas com maior precisão, os pacientes ficam mais satisfeitos com os cuidados que recebem e isso ajuda a diminuir o estresse psíquico, abrindo espaço para compartilhar medos, dúvidas e sofrimentos, além de permitir que o paciente se sinta mais à vontade para manifestar e exercer sua autonomia.

Mas quais seriam as habilidades de comunicação necessárias e como esses profissionais podem desenvolvê-las?

Nosso objetivo principal com este livro é trazer essas informações com qualidade, discutir situações difíceis no nosso dia a dia da prática clínica e chamar a atenção para este tópico e para a importância do treinamento dessas habilidades no ensino de profissionais da área de saúde no Brasil.

Pontos Principais

- Profissionais de saúde com boas habilidades de comunicação identificam os problemas dos pacientes com maior precisão.
- Seus pacientes se ajustam psicologicamente melhor quando podem exercer sua autonomia e ficam mais satisfeitos com seus cuidados quando têm a liberdade de compartilhar medos, dúvidas e sofrimentos.
- Médicos com boas habilidades de comunicação têm maior satisfação e menos estresse profissional.
- A oportunidade de praticar habilidades-chave e receber uma resposta de desempenho construtiva é essencial e merece mais espaço nas grades curriculares de ensino de profissionais que atuam na área da saúde.

A comunicação deve ocorrer com o objetivo de trocar informações entre o paciente, familiares e equipe interdisciplinar e aproximar o cuidado. Cabe ao médico o papel de abordar aspectos como diagnóstico clínico e prognóstico, proposta terapêutica e esclarecer dúvidas, sempre respeitando a vontade e autonomia do paciente quando apto a tal, sendo um direito deste saber sobre sua condição de saúde, mas não um dever. Em estudo[1] realizado em 2004 no Brasil com 363 pacientes, mais de 90% referiram desejo de serem informados sobre sua condição de saúde e sobre o diagnóstico de alguma doença grave. Outros estudos[1-4] mostram que a maioria dos pacientes com câncer avançado deseja saber seu diagnóstico e discutir sobre o tratamento, porém isso não quer dizer que o paciente queira saber de toda a realidade. É, portanto, responsabilidade do médico e da equipe multidisciplinar compreender até onde o paciente quer saber sobre sua doença e sobre o resultado de seus exames, respeitando sua autonomia e compartilhando isso com a família, habilidade esta que também faz parte de uma comunicação adequada.

Quando usamos as habilidades de comunicação efetivamente, tanto nós como profissionais, quanto os nossos pacientes se beneficiam. Em primeiro lugar, sabemos que a equipe de saúde que assiste ao paciente é capaz de identificar os problemas com maior precisão. Segundo, seus pacientes e familiares ficam mais satisfeitos com os cuidados e podem compreender melhor os problemas e as dificuldades, as investigações realizadas e as opções de tratamento propostas. Existe uma série de estudos que mostram que pacientes e familiares que tiveram uma reunião estruturada para falar a respeito de prognóstico e tratamento tiveram maior grau de satisfação e maior sentimento de alívio por se sentirem acolhidos.[5-6] Além disso, os pacientes têm maior tendência a aderir ao tratamento e seguir os conselhos sobre mudança de hábitos e comportamentos; suas angústias e a sua vulnerabilidade à ansiedade e à depressão são diminuídas. E, por último, o bem-estar da própria equipe aumenta.

Em revisão realizada pela revista britânica British Medical Journal, em 2002, sobre habilidades-chave de comunicação,[7] foram propostas algumas características essenciais para que essa comunicação se dê de modo adequado e não diferem do que vem sendo levantado em estudos e revisões mais recentes. Elas estão resumidas no Quadro 1.1.

◀ **Quadro 1.1.** Tarefas-chave de comunicação com o paciente

- Compreender: (a) quais são os principais problemas do paciente; (b) qual a percepção do paciente dos seus problemas; e (c) quais os impactos físicos, emocionais e sociais de tais problemas no paciente e na sua família.
- Fornecer informações sobre o que o paciente quer saber, certificando-se da sua compreensão ou não sobre tais informações.
- Compreender as reações do paciente às informações dadas e as suas maiores preocupações.
- Determinar o quanto o paciente quer participar das tomadas de decisão (quando houver opções de tratamento).
- Discutir as opções de tratamento, para que o paciente entenda suas implicações.
- Ampliar as chances de que o paciente siga as decisões tomadas em comum acordo sobre o tratamento e aconselhar sobre mudanças no estilo de vida.

Sabemos que o ensino das técnicas de comunicação é fundamental para ampliar o conhecimento nesta área. Entretanto, muitas vezes o assunto é negligenciado durante o ensino, mesmo em escolas médicas[8-9] e são poucas aquelas que se propõem a fornecer o treinamento adequado do estudo de relações humanas e da comunicação com paciente e seus familiares, principalmente na informação sobre más notícias, como no diagnóstico de doença grave e incurável, na piora irreversível e até mesmo na notícia de óbito.[3-4] Na prática, apenas metade das queixas e preocupações dos pacientes é compreendida e, frequentemente, os médicos são pouco capazes de perceber as percepções que o paciente tem do seu próprio problema ou sobre os impactos físicos, emocionais e sociais de tais problemas. Do mesmo modo, pouco se atentam a se certificar sobre o quão bem o paciente compreendeu o que lhe foi dito.

Contudo, evidências atuais mostram que médicos residentes valorizam a oportunidade de aprender a se comunicar adequadamente, porém falta conhecimento sobre como fazer isso e falta *feedback* sobre o que poderia ser melhorado e aprimorado.[10] Apesar de muitos considerarem-se competentes para dar uma má notícia por exemplo, viu-se que na prática a maior parte não faz uso de técnicas adequadas de comunicação.[11]

Médicos e profissionais de saúde também podem não compreender quão frequentemente os pacientes omitem importantes informações deles ou a razão pelas quais fazem isso, cujos principais motivos estão resumidos no Quadro 1.2.[7,12]

◀ **Quadro 1.2.** Razões por que os pacientes não revelam seus problemas

- Crença de que nada pode ser feito;
- Relutância em sobrecarregar o médico;
- Desejo de não parecer ingrato;
- Preocupação de que não seja legítimo mencionar os problemas ou que possa parecer bobagem;
- Preocupação de que seus receios sobre o que está errado consigo sejam confirmados.

Em estudo publicado por Wayne et al, em 2012, foram avaliados médicos residentes que tiveram aulas teóricas e práticas sobre comunicação e observou-se que as habilidades não só melhoraram, como se mantiveram mesmo após 1 ano de intervenção. Residentes que não tiveram nenhum tipo de ensino ou treinamento, mesmo após a prática clínica, não adquiriram as mesmas habilidades.[13]

Como Desenvolver as Habilidades

Métodos efetivos de treinamento

O Quadro 1.3 lista os métodos de ensino utilizados para ajudar médicos a desenvolver habilidades de comunicação relevantes e evitar usar comportamentos de bloqueio. Esses métodos podem ser usados no ensino durante a graduação e depois dela.[14,15]

◀ **Quadro 1.3.** Métodos de ensino efetivos

- Fornecer evidências das deficiências de comunicação atuais, razões para elas e as consequências para pacientes e médicos.
- Oferecer uma base que evidencie a habilidade necessária para superar essas deficiências.
- Demonstrar as habilidades a serem aprendidas e tornar compreensíveis as reações que elas geram.
- Fornecer uma oportunidade para praticar as habilidades sob condições controladas e seguras.
- Dar um retorno construtivo do desempenho e refletir sobre as razões para não ter comportamentos de bloqueio.

Os cursos deveriam fornecer materiais detalhados ou pequenas palestras, ou ambos, que demonstrem evidências das deficiências atuais de comunicação com os pacientes, razões para tais deficiências e as consequências adversas para pacientes e profissionais de saúde. Os participantes devem ser informados sobre as habilidades de comunicação e mudanças de atitude que sanam tais deficiências e deve-se dar a eles evidências da utilidade destas habilidades na prática clínica.[16-18]

◀ Exemplificando

Professores devem demonstrar habilidades-chave na prática – com fitas de áudio e vídeo de consultas reais por exemplo. Os participantes devem discutir o impacto dessas habilidades no paciente e no médico e equipe multidisciplinar.

Como alternativa, uma "demonstração interativa" pode ser usada. Um instrutor conduz uma consulta como ele faz normalmente, mas usando um paciente simulado e os alunos podem participar sugerindo estratégias, dando opiniões e sensações sobre cada estratégia implementada. Podem também ser questionados a prever o impacto de tais estratégias no paciente. Diferente do retorno das fitas de áudio e vídeo, o "paciente" também pode ser instruído a dar um retorno. Isso confirma ou refuta as sugestões do grupo. Esse processo é repetido a fim de trabalhar por meio de uma consulta para que o grupo aprenda sobre a utilidade das habilidades-chave.[19-20]

Praticando habilidades-chave

Praticar com pacientes simulados ou atores tem a vantagem de que a natureza e a complexidade das tarefas podem ser controladas e o grupo em treinamento se sente mais à vontade para tirar dúvidas em um ambiente como esse. O "término" pode ser determinado quando o entrevistador estagnar a entrevista ou quando se perceber algum momento de estresse ou dificuldade em prosseguir com a atividade. O grupo que assiste à cena pode, então, sugerir como o entrevistador deveria proceder e fazer críticas construtivas, sempre supervisionadas por um instrutor.

Outra estratégia que tem sido bastante utilizada com resultados positivos é o *role-play*, em que os participantes se colocam tanto na posição da equipe de saúde como na posição de pacientes e familiares. Isso dá ao médico e equipe a percepção de como os pacientes e familiares são afetados por diferentes estratégias de comunicação.[21-23]

A técnica de *Objective Structured Clinical Evaluation* (OSCE) consiste em uma série de estações pelas quais o estudante passa. Em cada uma, ele se depara com casos reais ou problemas práticos simulados. Nela, o desempenho do educando é cuidadosamente observado, permitindo que o domínio de habilidades clínicas possa ser avaliado. As estações podem envolver a execução de tarefas clínicas relativamente simples, como a obtenção de partes da história clínica ou mesmo dar uma má notícia ou reunir familiares num contexto de planejamento de alta de um paciente com grande demanda de cuidados.

Praticar habilidades de comunicação com pacientes simulados leva à aquisição de novas habilidades e a renúncia de comportamentos de bloqueio.

Acreditamos que este seja o primeiro passo: bons profissionais desejarão continuar seu aprendizado por meio do tempo autodidaticamente (analisando suas próprias entrevistas e refletindo sobre elas) ou participando de mais cursos ou *workshops* e, com certeza, recebendo o melhor *feedback* de todos – de seus próprios pacientes e colegas de equipe.

Bibliografia

1. The AM, Hak Tony, Koeter G, Wal G. Collusion in doctor-patient communication about imminent death: an ethnographic study. BMJ 2000; 321: 1376-81.
2. Silva MJP. Cuidados paliativos: falando de comunicação. São Paulo: Conselho Regional de Medicina do Estado de São Paulo; 2008. p. 33-43.
3. Silva MJP, Araújo MMT. Manual de cuidados paliativos: comunicação em cuidados paliativos. Rio de Janeiro: Diagraphic; 2009. p. 49-57.
4. Fineberg IC, Kawashima M, Asch SM. Communication with families facing life-threatening illness: a research-based model for family conferences. J Palliat Med 2011; 14(4): 421-27.
5. Lautrette A, Darmon M, Megarbane B, et al. A communication strategy and brochure for relatives of patients dying in the ICU. N Eng J Med. 2007. 356:469-478.
6. Araujo MMT, Silva MJP. Estratégias de comunicação utilizadas por profissionais de saúde na atenção a pacientes sob cuidados paliativos. Rev Esc Enferm. 2012. 46(3):626-32.
7. Maguire P, Pitceathly C. Key communication skills and how to acquire them, BMJ 2002. 325 (7366): 697-700.
8. Kelley AS, Back AL, Arnold RM, et al. Geritalk: Communication Skills Training for Geriactrics and Palliative Medicine Fellows, J Am Geriatr Soc. 2012 Feb. 60(2):332-337.
9. Torke AM, Quest TE, Kinlaw K. A Workshop to teach medical students communication skills and clinical knowledge about end-of-life care. J gen Intern Med. 2004. 19:540-544.
10. Schroder C, Heyland D, Jiang X, Rocker G, Dodek P. Educating medical residents in end of life care; insights from a multicenter survey. J palliate Med. 2009 May. 12(5):459-70.
11. Buss MK, Alexander GC, Switzer GE, Arnold RM. Assessing competence of residents to discuss end-of-life issues. J Palliat Med. 2005 Apr. 8(2):326-71.
12. Booth K, Maguire P, Butterworth T, Hillier VT. Perceived professional support and

the use of blocking behaviours by hospice nurses. J AdvNurs 1996;24:5227.
13. Wayne DB, Moazed F, Cohen ER, et al. Code status discussion skill. Retention in internal medicine residents: one-year follow-up. J Palliat Med 2012. 15(12):1325-1328.
14. Kurtz S, Silverman J, Draper J. Teaching and learning communication skills in medicine. Oxford: Radcliffe Medical Press, 1998.
15. Aspegren K. Teaching and learning communication skills in medicine – a review with quality grading of articles. Medical Teacher 1999;21:56370.
16. Maguire P, Roe T, Goldberg D, Jones S, Hyde C, O'Dowd T. The value of feedback in teaching interviewing skills to medical students. Psychol Med 1978;8:695704.
17. Fallowfield L, Jenkins V, Farewell V, Saul J, Duffy A, Eves R. Efficacy of a cancer research UK communication skills training model for oncologists: a randomised controlled trial. Lancet 2002;359:6506.
18. Maguire P, Booth K, Elliott C, Jones B. Helping health professionals involved in cancer care acquire key interviewing skills – the impact of workshops. Eur J Cancer 1996;32a:14869.
19. Naji S, Maguire GP, Fairbairn S, Goldberg DP, Faragher EB. Training clinical teachers in psychiatry to teach interviewing skills to medical students. Med Educ 1986;20:1407.
20. Heaven C. The role of clinical supervision in communication skills training [PhD thesis]. Manchester: University of Manchester, 2001.
21. Curtis JR, Back AL, Ford DW, et al. Effect of communication skills training for residents and nurse practitioners on quality of communication with patients with serious illness. JAMA. 2013 December 4; 310(21): 2271–2281.
22. Bays A, Engelberg RA, Back AL, et al. Interprofessional communication skills training for serious illness: evaluation of small group, simulated patient intervention [published online November 1,2013]. J palliate Med.10.189/jpm.2013.0318.
23. Jackson VA, back AL. Teaching communication skills using role-play: an experience-based guide for educators. J Palliat Med. 2011;14(6):775-780.

2

Ética em Cuidados Paliativos

André Castanho de Almeida Pernambuco
Marina C. Rachid Miragaia
Tatiana Elias de Pontes

Introdução

O conceito de doença, adoecimento e morte é distinto entre indivíduos e sociedades e sofre constantes mudanças ao longo da história. Se em outros tempos era encarada como inevitável e vivenciada como acontecimento social, atualmente a morte se torna uma violação, consequência da falha ou da inabilidade humana em dominar as doenças e as incapacidades do seu próprio organismo. Na impossibilidade de evitá-la, criou-se um silêncio sobre o tema, distanciando o indivíduo em finitude do seu próprio processo de morte, destituindo seus direitos e vontades, que ficam a cargo de familiares ou da própria equipe médica.

A involução da vivência e o enfrentamento da morte, atitude descrita como "a morte invertida" por Philippe Áries,[1] é acentuada pelo desenvolvimento galopante da medicina diagnóstica e terapêutica, que ultrapassa as expectativas das fronteiras atuais, prolongando a sobrevida, estabelecendo novos tratamentos e possibilidades para doenças incuráveis. Esse cenário promove uma sensação de imortalidade que, para o paciente, dificulta a compreensão e aceitação do processo de adoecimento e morte e, para o médico, abre espaço para a adoção de condutas desproporcionais.

Diante desse contexto, é necessário ter preparo para acolher as angústias e expectativas da família e do paciente, guiá-los por meio dos dilemas e definir, respeitando a ética e a moral, um caminho que equilibre o tratamento e a qualidade de vida. Neste capítulo, buscamos apontar de modo sucinto os princípios e os respaldos legais que devem ser considerados na estruturação das condutas médicas.

Bioética e Biodireito

A primeira regulação ética da conduta médica de que se tem ciência foi dada pelo juramento de Hipócrates[2] (430 a.C.), porém a bioética foi consolidada apenas no século XX, fato intimamente ligado ao progresso tecnológico e científico do período.

Na área médica, essa evolução exponencial envolveu por vezes a realização de experimentos científicos com seres humanos, tendo como exemplo marcante os realizados por médicos nazistas contra prisioneiros de guerra. Ao final da Segunda Grande Guerra[3] e após o julgamento das atrocidades ocorridas no período, foi elaborado um documento, o Código de Nuremberg (1947),[4] que estabeleceu princípios éticos que regulamentaram experiências e pesquisas científicas com seres humanos. O princípio da dignidade da pessoa humana como bem jurídico surgiu com o Código de Nuremberg e foi reforçado com a Declaração Universal dos Direitos Humanos (1948), documentos fundamentais para a estruturação da bioética.

Décadas mais tarde e também como reação a experimentos científicos em humanos, criou-se o Relatório de Belmont (1978),[5] que estabeleceu a trindade bioética, os princípios de beneficência, autonomia e justiça.

Nas últimas décadas do século XX, diversos marcos incrementaram o conceito e aplicação da bioética, que se tornou uma ferramenta na busca do equilíbrio ético entre a evolução tecnológica e científica e a vida humana. Com o desenvolvimento técnico-científico, surgiram, entretanto, indagações e dilemas morais que evidenciaram lacunas jurídicas. Desse modo, com objetivo de criar um respaldo jurídico nesse campo, surgiu, nos últimos anos uma nova disciplina no ramo do Direito Público, o Biodireito, que segundo Diniz (2008),[6]

> teria a vida por objetivo principal, salientando que a verdade científica não poderá sobrepor-se à ética e ao direito, assim como o progresso científico não poderá acobertar crimes contra a dignidade humana, nem traçar, sem limites jurídicos, os destinos da humanidade.

Utilizaremos os princípios da autonomia, da beneficência e da não maleficência para expor o aparato jurídico atual que sustenta as condutas e as decisões em cuidados paliativos.

Princípio da autonomia

A palavra "autonomia" deriva do grego antigo, uma junção das palavras *auto* (de si próprio) e *nomos* (lei), ou seja, aquele que estabelece suas próprias leis. O ordenamento jurídico atual limita, porém, o exercício completo da autonomia ao determinar no *caput* do artigo 5º da Constituição Federal[7] que a vida é um dos cinco direitos individuais básicos, sendo, portanto, um bem tutelado pelo Estado, havendo, desse modo, um impedimento legal à prática de atos para interrompê-la, independentemente se por vontade própria ou por ação de terceiros.

No contexto em que discorremos, autonomia significa dar ao doente a possibilidade de conhecer sua condição clínica, as opções terapêuticas disponíveis e respeitar a sua escolha. Buscando garantir esse direito, o Conselho Federal de Medicina determinou, no artigo 1º da Resolução nº 1.805/06:[8]

§ 1º O médico tem a obrigação de esclarecer ao doente ou representante legal as modalidades terapêuticas adequadas para cada situação.

§ 2º A decisão referida no caput deve ser fundamentada e registrada no prontuário.

§ 3º É assegurado ao doente ou representante legal o direito de solicitar uma segunda opinião médica.

O Código de Ética Médica (Resolução CFM nº 1931/09)[9] reforça e complementa tais diretrizes:
Capítulo 4:
Art. 22. Deixar de obter consentimento do paciente ou de seu representante legal após esclarecê-lo sobre o

procedimento a ser realizado, salvo em caso de risco iminente de morte.

Art. 24. Deixar de garantir ao paciente o exercício do direito de decidir livremente sobre sua pessoa ou seu bem-estar, bem como exercer sua autoridade para limitá-lo.

Capítulo 5

Art. 34. Deixar de informar ao paciente o diagnóstico, o prognóstico, os riscos e os objetivos do tratamento, salvo quando a comunicação direta possa lhe provocar dano, devendo, nesse caso, fazer a comunicação a seu representante legal.

Reafirmamos, portanto, que é obrigação médica informar e esclarecer ao paciente ou representante legal seu diagnóstico, prognóstico e as opções terapêuticas possíveis, além de obter consentimento para realização de procedimentos ou tratamentos, "salvo em caso de risco iminente de morte". Essa ressalva abre uma lacuna, permitindo ao médico adotar condutas as mais diversas possíveis, que, em virtude do contexto crítico, podem ser influenciadas pela ansiedade e cobrança de familiares, pela insegurança do médico por não conhecer o doente ou pelo receio do profissional de ser processado por uma conduta tida como inadequada. Apesar da subjetividade, as decisões médicas também devem respeitar o princípio constitucional da dignidade humana e considerar o fundamento proposto no Capítulo I do Código de Ética Médica[9]:

> XXII - Nas situações clínicas irreversíveis e terminais, o médico evitará a realização de procedimentos diagnósticos e terapêuticos desnecessários e propiciará aos pacientes sob sua atenção todos os cuidados paliativos apropriados.

Princípio da beneficência ou não maleficência

O princípio da beneficência indica a necessidade moral de agir em benefício ao próximo o que, em cuidados paliativos, traduz-se em promover conforto, alívio de sintomas e qualidade de vida. O segundo princípio, apesar de distinto, vem complementar o conceito. Não maleficência representa a máxima *primum non nocere*[10] (acima de tudo, não causar dano), que,

Capítulo 2 Ética em Cuidados Paliativos 13

no contexto abordado, remete à ideia de evitar tratamentos em que o sofrimento seja desproporcional ao benefício obtido. Beneficência e não maleficência compõem a estrutura dos cuidados paliativos por estimular o questionamento do impacto das condutas médicas. Nesse sentido, é frequente designar as condutas sem eficácia terapêutica ou benefício fisiológico como medidas fúteis. O termo "fútil", apesar de ser bem estabelecido e muito utilizado, gera questionamento entre alguns autores. Os autores Beauchamp e Childress,[11] por exemplo, aconselham abandonar o termo por expressar juízo de valor, adotando expressões como "medicamente inapropriado ou desproporcionado".

A abstenção ou suspensão de um tratamento fútil ou desproporcionado gera dúvidas e inseguranças. Decidir pelo início de um tratamento em situações críticas ou em pacientes paliativos pode ser desconfortável, o que em geral é amenizado quando se estabelece uma boa relação médico-paciente. No entanto, a interrupção de um tratamento é frequentemente um obstáculo maior, pois pode ser interpretada como abandono do doente. A peculiaridade de cada caso impossibilita estabelecer protocolos ou fluxogramas que auxiliam na sua condução. É fato, porém, que uma boa relação médico-paciente e uma comunicação clara são indispensáveis para administrar conflitos e construir um planejamento adequado para cada paciente.

Não há na Constituição Federal uma abordagem explícita dos princípios da bioética supracitados e de decisões terapêuticas em cuidados paliativos. A Constituição Federal garante, entretanto, no art. 1º, inc. III, que a dignidade humana é um dos fundamentos da República Federativa de Brasil e, no art. 5º, inc. III estabelece que "ninguém será submetido à tortura nem a tratamento desumano ou degradante".[7]

Preenchendo a lacuna jurídica sobre cuidados paliativos na Constituição Federal, o Conselho Federal de Medicina publicou diversas resoluções que complementam as leis atuais. Destacamos aqui o art. 1º da Resolução nº 1.805/06:[8]

> Art. 1º É permitido ao médico limitar ou suspender procedimentos e tratamentos que prolonguem a vida do doente em fase terminal, de enfermidade grave e incurável, respeitada a vontade da pessoa ou de seu representante legal.

Citamos também a Lei Estadual Paulista n° 10.241 de 17 de março de 1999, que, embora não tenha impacto nacional, merece destaque por ampliar a discussão e regulamentação dos cuidados paliativos. Entre outras garantias, o art. 2° da referida Lei considera como opção do paciente aceitar ou não tratamentos desproporcionais: "XXIII – recusar tratamentos dolorosos ou extraordinários para tentar prolongar a vida".

Eutanásia e Ortotanásia

O termo "eutanásia" é oriundo do grego, tendo por significado boa morte ou morte digna. Foi usado pela primeira vez pelo historiador latino Suetônio, no século II d.C., ao descrever a morte "suave" do imperador Augusto:

> *A morte que o destino lhe concedeu foi suave, tal qual sempre desejara: pois todas as vezes que ouvia dizer que alguém morrera rápido e sem dor, desejava para si e para os seus igual eutanásia".*[12]

O suicídio assistido ocorre quando uma pessoa solicita o auxílio de outra para morrer, caso não seja capaz de tornar fato sua disposição. Nesse último caso, o enfermo está, em princípio, sempre consciente – sendo manifestada a sua opção pela morte –, enquanto na eutanásia, nem sempre o doente encontra-se cônscio – por exemplo, na situação em que um paciente terminal e em coma está sendo mantido vivo por um ventilador mecânico, o qual é desligado, ocasionando a morte.[13]

A distanásia trata-se de um neologismo de origem grega: o prefixo *dys* significa ato defeituoso, afastamento e o sufixo *thanatos* designa morte. Na sua origem semântica, distanásia significa morte lenta, com muita dor ou prolongamento exagerado da agonia, do sofrimento e da morte de um paciente, não respeitando a dignidade do morrente.[14]

Nesse contexto, é comum a confusão de conceitos como "eutanásia" e "ortotanásia", esse último termo significando a morte no seu tempo certo, sem os tratamentos desproporcionais (distanásia) e sem abreviação do processo de morrer (eutanásia) (Horta, 1999).[12]

No Brasil, a eutanásia não está legalizada e continua sendo uma conduta que se enquadra como tipo de homicídio.

Trata-se de um "homicídio privilegiado". É uma conduta antijurídica, embora possa o autor dessa conduta criminosa, quando condenado, ser beneficiado por uma "redução de pena". Como dispõe o parágrafo único do art. 121 do Código Penal, a pena do homicídio pode ser diminuída de um sexto a um terço, se o agente comete o crime "impelido por relevante valor social ou moral". Assim, nos casos de "eutanásia", no Brasil, embora possa ocorrer uma diminuição de censura ou de reprovação, ainda haverá crime.[15]

Com efeito, no item XXII de seu Capítulo I, que trata dos Princípios Fundamentais da Medicina, o Código de Ética Médica de 2009 dispõe, expressamente que,

> *nas situações clínicas irreversíveis e terminais, o médico evitará a realização de procedimentos diagnósticos e terapêuticos desnecessários e propiciará aos pacientes sob sua atenção todos os cuidados paliativos apropriados.*

E, depois de proscrever a eutanásia em seu art. 41, o Código de Ética Médica afirma, também de modo expresso, no parágrafo único desse mesmo dispositivo normativo, que

> *nos casos de doença incurável e terminal, deve o médico oferecer todos os Cuidados Paliativos disponíveis, sem empreender ações diagnósticas ou terapêuticas inúteis ou obstinadas, levando sempre em consideração a vontade expressa do paciente ou, na sua impossibilidade, a de seu representante legal.*[16]

Similarmente, a distanásia também é citada na legislação brasileira. O médico que insistir em manter um tratamento ou qualquer procedimento inócuo, artificioso, postiço e gravoso para o doente terminal, acometido de uma doença incurável, expondo-o, assim, à dor e ao sofrimento, contrariando a vontade do paciente ou de seu representante legal, também estará sujeito a responder, no âmbito da responsabilidade civil e criminal, pelas lesões corporais, pelo constrangimento ilegal, pela tortura e pelo tratamento cruel que impuser ao paciente e, também, à sua família.[17]

Assim, deixar morrer diante da impossibilidade terapêutica de cura, na hipótese prevista na Resolução CFM nº 1.805/2006 e no parágrafo único do art. 41 do CEM/2009, não é matar. Não se trata de praticar a "eutanásia", nem de "auxílio ao suicídio". Trata-se, sim, de ortotanásia, procedimento absolutamente lícito e ético.[16] Aliás, até mesmo o Papa João Paulo II afirmou, com sensibilidade e amor pelos desígnios sagrados da existência humana, que,

> *distinta da eutanásia é a decisão de renunciar ao chamado excesso terapêutico, ou seja, a certas intervenções médicas já inadequadas à situação real do doente, porque não proporcionadas ao resultado que se poderia esperar ou ainda porque demasiado gravosas para ele e para a sua família. (...) A renúncia a meios extraordinários ou desproporcionados não equivale ao suicídio ou à eutanásia; exprime, antes, a aceitação da condição humana defronte à morte.*[18]

Diretivas Antecipadas de Vontade

Com o intuito de assegurar a autonomia dos pacientes e garantir a ortotanásia, surgiram as diretivas avançadas ou antecipadas, que podem ser expressas no modo do que alguns autores chamam de testamento vital.

O testamento vital é um documento escrito no qual o paciente, diante de uma patologia terminal, incurável ou irreversível, com plena capacidade mental e de modo livre e consciente, expressa antecipadamente a sua vontade quanto à não realização de determinados procedimentos e terapêuticas que prolonguem futilmente a sua vida. Garantindo, desse modo, uma morte digna e sem sofrimento.[19]

No Brasil ainda não existe uma legislação específica para as diretivas antecipadas; o que se tem são algumas resoluções do Conselho Federal de Medicina (CFM).

A Resolução n. 1995/2012 do CFM trouxe o debate a respeito de um diferenciado olhar sobre o fim de vida. O documento dispõe acerca das denominadas "diretivas antecipadas de vontade", definidas como:

o conjunto de desejos, prévia e expressamente manifestados pelo paciente, sobre cuidados e tratamentos que quer, ou não, receber no momento em que estiver incapacitado de expressar, livre e autonomamente, sua vontade.[20]

Tal publicação retrata o rápido desenvolvimento da tecnologia biomédica, que, ao trazer inúmeros benefícios quanto à longevidade humana, instiga, também, nossa reflexão acerca da não mecanização do ato de morrer e do não esquecimento da naturalidade do fim da vida;[21] representa, por fim, grande avanço, para alcançar o ideal de uma morte digna.[22]

Utilizar, portanto, o termo "testamento vital" no âmbito brasileiro, requer uma adequada contextualização, na medida em que "testamento" indica disposições a serem efetivadas após a morte, e "vital" refere-se à vida, sua conservação e essencialidade. Se a denominação for, apenas, exposta sem qualquer reflexão, ela poderá não ser adequadamente identificada como manifestação autônoma, livre, e, sobretudo, para tratamento ou tomadas de decisão a serem realizados em e para a vida.[21]

Conflitos Éticos

Na comunicação de más notícias, a informação tem uma conotação especial, pois conduz as famílias dos pacientes a um estado de crise emocional e, para os profissionais de saúde, essa situação gera tensão.[23]

Entre os fatores que podem dificultar essa comunicação, destacam-se: a ausência de investimentos para o desenvolvimento das habilidades relacionais e de comunicação nos currículos da graduação médica; as representações sociais e o simbolismo da doença oncológica; a presença de fantasias relacionadas ao conhecimento do diagnóstico; e as dificuldades para lidar com a finitude da vida.[24]

Quanto aos principais conflitos éticos, observam-se entre profissionais da saúde dificuldades relacionadas à justa adequação moral do emprego da verdade na comunicação a ser estabelecida com o paciente e ao manejo da relação médica com os familiares do doente. A questão que se estabelece é se o ato de revelar a verdade diagnóstica constitui ou não ação beneficente para o paciente. O medo de que o conhecimento da doença desencadeie a piora do estado físico e emocional do paciente, aliado às demais dificuldades citadas, contribui para que a revelação do diagnóstico e, mais especialmente, dos prognósticos com rápida evolução não seja realizada de modo claro e objetivo. Predomina, então, o discurso que não contempla toda a verdade, repleto de omissões, meias verdades e, por vezes, conteúdo enganoso – comumente conhecido como "mentira piedosa".[24]

Outro dilema ético comum em comunicação é o chamado "cerco do silêncio, definido como o acordo implícito ou explícito, por parte de familiares, amigos e/ou profissionais, de alterar a informação que se dá ao paciente, com a finalidade de lhe ocultar o diagnóstico e/ou prognóstico e/ou gravidade da situação.[25]

Fallowfield, Jenkins e Beveridge afirmam que, embora a motivação por trás do cerco do silêncio seja bem-intencionada, resulta em elevado estado de ansiedade, medo e confusão, e não serenidade e segurança. Além disso, nega aos sujeitos a oportunidade de reorganizar e adaptar suas vidas para realizar metas mais plausíveis, pautadas por esperanças e aspirações realistas. No caso dos cuidados paliativos, os pacientes necessitam de informações claras para planejar e tomar decisões sobre o local da assistência e da morte, colocar assuntos pendentes em ordem, despedir-se, fazer as pazes e proteger-se de terapias fúteis.[26]

Portanto, a comunicação de más noticias, por muitas vezes incluir questões de forte conteúdo emocional, a torna uma tarefa desafiadora para todos os envolvidos, o que frequentemente resulta na omissão de determinadas informações e atitudes paternalistas perante o paciente.[25] Para evitar os extremos que podem variar da "mentira piedosa" à "verdade escancarada", recomenda-se a "verdade prudente", entendendo-a como a colocação da verdade possível e adequada às necessidades individuais de cada paciente.[24] Em paralelo, é reconhecido o papel da comunicação enquanto instrumento para enfrentar problemas éticos, e ainda como prerrogativa para o exercício da autonomia, para a relação terapêutica, ajustamento psicológico e resolução de pendências.[25]

Conclusão

Comunicar más notícias é tarefa de difícil manejo, desencadeando conflitos morais e questionamentos sobre a relação que se estabelece entre a revelação da verdade e os princípios da beneficência e da autonomia do paciente.

Ademais, o respeito é uma consideração positiva que constitui na aceitação e na avaliação da pessoa como um único ser capaz de ter uma atitude em qualquer momento. É um dos alicerces sobre o qual se baseia a Ética. Nas relações interpessoais, é o reconhecimento dos sentimentos e interesses do outro, aceitando suas limitações e reconhecendo as suas virtudes.[23]

Nesse contexto, apenas o conhecimento dos princípios éticos e o cumprimento das regras não fornecerá ao médico ingredientes suficientes para uma justificativa moral e para a fundamentação de seus atos. A relação entre o médico e o paciente, ancorada no estilo e na qualidade da comunicação desenvolvida, tem na participação do paciente e familiares uma importante variável a ser considerada e adequadamente manejada pelo profissional durante todo o processo. Apenas uma avaliação prudente, em conformidade com a ética das virtudes, poderá harmonizar os valores morais, as regras e os princípios éticos em questão, em prol de uma comunicação efetiva e de resultados condizentes com a melhor opção terapêutica, seja ela curativa ou paliativa.[24]

Bibliografia

1. Ariès P. História da morte no ocidente. Rio de Janeiro: Ediouro, 2003.
2. Hippocrates. The Oath Loeb Classical Library, v.1, reprint. Harvard, Massachusetts, 1992.
3. Schmidt U, Brandt K. The nazi doctor. Medicine and power in the Third Reich (Continuum, London, 2007).
4. Trials of War Criminals before the Nuremberg Military Tribunals under Control Council Law No. 10", Vol. 2, pp. 181-182. Washington, D.C.: U.S. Government Printing Office, 1949.
5. National Commission for the Protection of Human Subjects of Biomedical and Behavioral Research, Department of Health, Education and Welfare (DHEW) (30 September 1978). The Belmont Report. Washington, DC.
6. Diniz MH. Conceito de norma jurídica como problema de essência. 4 ed. São Paulo: Saraiva, 2003.

7. Brasil. Constituição República Federativa do Brasil, 2 ed. São Paulo: Saraiva, 2006.
8. Conselho Federal de Medicina. Resolução n.1.805/2006. Brasília: CFM, 2006. Disponível em: http://www.portalmedico.org.br/resolucoes/cfm/2006/1805_2006.htm.
9. Brasil. Código de Ética Médica. São Paulo: Conselho Regional de Medicina do Estado de São Paulo, 2009.
10. The origin of primum non nocere. British Medical Journal electronic responses and commentary, 1 September 2002.
11. Beauchamp TL, Childress JF. Princípios de ética biomédica. São Paulo: Edições Loyola, 2002.
12. Suetônio. A vida dos doze césares. 2 ed. São Paulo: Editora Prestígio, 2002. in Batista RS, Schramm FR. Eutanásia: pelas veredas da morte e da autonomia. Ciência & Saúde Coletiva 2004: 9(1):31-41.
13. Batista RS, Schramm FR. Conversações sobre a "boa morte": o debate bioético acerca da eutanásia. Cad. Saúde Pública 2005: 21(1):111-119.
14. Santana JCB, Rigueira ACM, Dutra BS. Distanásia: reflexões sobre até quando prolongar a vida em uma unidade de terapia intensiva na percepção dos enfermeiros. Rev Bioethicos 2010: 4(4):402-411.
15. Código Penal, Cap I: Dos crimes contra a vida. Artigo 121: Matar alguém. Presidência da Republica – Casa Civil: Brasil, 1940. Disponível em: http://www.planalto.gov.br/ccivil_03/decreto-lei/Del2848compilado.htm.
16. Torres JHR. Ortotanásia não é homicídio, nem eutanásia: quando deixar morrer não é matar. In: Carvalho RT, Parsons HA (org.). Manual de Cuidados Paliativos ANCP. 2 ed. Academia Nacional de Cuidados paliativos: 2012; p.415-38.
17. Código Penal, Cap II: Das lesões corporais. Artigo 129: Das lesões corporais. Presidência da República – Casa Civil: Brasil, 1940. Disponível em: http://www.planalto.gov.br/ccivil_03/decreto-lei/Del2848compilado.htm.
18. Hirschheimer MR, Constantino CF. O direito de morrer em paz e com dignidade. Boletim IBCCRIM 2007: ano 14, n. 172.
19. Godinho AM. Testamento vital e ordenamento brasileiro. Jus Navegandi, 2010: ano 15, n. 2545.
20. Areco F, Aboud A, Hashimoto VAM, Vieira AA. Diretivas Avançadas de Vontade. In: Moraes NT, Di Tommaso ABG, Nakaema KE, Souza PMR, Pernambuco ACA. Cuidados paliativos com enfoque geriátrico – a assistência multidisciplinar. São Paulo: Atheneu, 2014; p. 227-30.
21. Alves CA. Linguagem, diretivas antecipadas de vontade e testamento vital: uma interface nacional e internacional. Rev Bioethicos 2013;7(3):259-270.
22. Lingerfelt D, Hupsel L, Macedo L, Mendonça M, Ribeiro R, Gusmao Y et al. Terminalidade da vida e diretivas antecipadas de vontade do paciente. Disciplina de Biodireito, Curso de Direito, Universidade Salvador – UNIFACS: 2012. Disponível em: http://www.revistas.unifacs.br/index.php/redu/article/viewFile/2470/1813.
23. Segovia C, Serrano M. Manual del curso de comunicación em situaciones críticas: influencia en el proceso de donación. Organizacion Nacional de Transplantes, Espanha: 2014.
24. Geovanini F, Braz M. Conflitos éticos na comunicação de más notícias em oncologia. Rev. bioét. 2013; 21 (3): 455-62.

25. Abreu CBB, Fortes PAC. Questões éticas referentes às preferências do paciente em cuidados paliativos. Rev. bioét. 2014; 22 (2): 299-308.
26. Fallowfield LJ, Jenkins VA, Beveridge HA. Truth may hurt but deceit hurts more: communication in palliative.

3

Técnicas de Comunicação

Guilherme Liausu Cherpak
Cinthia Medice Nishide de Freitas
Márcia Valéria de Andrade Santana

Introdução

A comunicação é inerente a qualquer tipo relação humana, permitindo o entendimento entre indivíduos. Na área da saúde é fundamental, pois as informações têm de ser passadas num contexto repleto de emoções. Quando adequadamente estruturada, é uma ferramenta poderosa no tratamento da maioria das patologias. No entanto, a maioria dos médicos e profissionais da saúde não recebe treinamento suficiente para a comunicação de "más notícias". Essa dificuldade produz grande desentendimento entre equipe e paciente/família.

A "má notícia" pode ser definida como aquela que se refere a uma situação sem esperança, uma ameaça ao bem-estar físico e psicológico de um indivíduo ou que expõe o paciente a poucas escolhas em sua vida. Pode, também, ser considerada "qualquer notícia que drasticamente e negativamente altera a percepção do paciente sobre seu futuro".[1,2]

Existem várias barreiras que dificultam a comunicação entre médicos e pacientes, entre elas podemos citar a ausência de treinamento em habilidades de comunicação, falta de conhecimento adequado sobre a doença e opções de tratamento e falta de tempo para as informações.[3]

Quando essas barreiras conseguem ser quebradas por meio de uma boa comunicação, desenvolve-se uma relação de confiança entre os médicos e os pacientes, diminuindo a frustração de ambos, preparando-se para situações de explosão emocional, melhorando a satisfação tanto do médico em seu ambiente de trabalho quanto do paciente por conseguir reconhecer e compreender sobre sua doença e os tratamentos possíveis.[4,5]

Desse modo, o objetivo desse capítulo consiste em avaliarmos a comunicação em verbal, não verbal e paraverbal, dissertarmos sobre as principais habilidades necessárias para uma comunicação adequada e, finalmente, fazer um levantamento sobre as principais técnicas de comunicação já desenvolvidas, com o intuito de promovermos um treinamento para a comunicação de "más notícias".

Dimensões da Comunicação

A comunicação é um recurso bastante complexo, que não se restringe a uma mera troca de mensagens ou transmissão de informações. Considera-se o contexto, a cultura, os valores individuais, as experiências, interesses e expectativas próprios de cada sujeito envolvido. Na área da saúde, envolve médico, equipe multidisciplinar, pacientes e familiares.[6]

Três dimensões compõem o processo de informação: verbal, não verbal e paraverbal. A primeira se dá por meio da seleção das palavras a serem utilizadas e inclui informações sobre a natureza, curso e prognóstico da doença, opções de tratamento disponíveis, riscos/benefícios de procedimentos invasivos. No entanto, a comunicação verbal isoladamente é insuficiente para abranger a complexa interação que ocorre no relacionamento humano.[7]

Nesse sentido, a comunicação não verbal é fundamental para o estabelecimento de vínculo entre equipe de saúde, pacientes e familiares. A dimensão não verbal permite a compreensão dos sentimentos nos relacionamentos interpessoais. Ela envolve gestos, olhares e expressões faciais, postura corporal, distância que as pessoas mantêm umas das outras e até vestimentas e características físicas.[8] A dimensão paraverbal, por sua vez, inclui o tom, o ritmo e o volume da voz que transmite a informação.[2] O Quadro 3.1 descreve algumas estratégias para uma adequada comunicação não verbal.

◀ **Quadro 3.1.** Estratégias para comunicação não verbal

- Manter contato visual, observar as reações do paciente
- Emprego do toque afetivo, de sorrisos, da escuta ativa, do tom de voz adequado e do silêncio, quando pertinente.
- Ambiente reservado e tranquilo, além de postura corporal relaxada (membros descruzados e evitar gestos que mostrem ansiedade).
- Manter proximidade física, evitar barreiras físicas (p. ex.: mesas).
- Atentar para as próprias expressões faciais e aparência física.

A literatura sugere que há uma influência significativa da comunicação efetiva em desfechos importantes, como a satisfação do paciente e adesão ao tratamento. É principalmente por meio da emissão dos sinais não verbais pelo profissional de saúde que o paciente desenvolve confiança e permite que se estabeleça vínculo, resultando em uma relação terapêutica efetiva. Assim, tanto o comportamento verbal como o não verbal devem demonstrar empatia e transmitir segurança.[9]

Técnicas de Comunicação

O desenvolvimento de habilidades progressivas para uma "escuta empática" é muito importante no processo de aprendizado de comunicação.

Considera-se a "atenção" e "empatia" os principais requisitos para uma boa comunicação. Prestar atenção significa criar um ambiente propício, por meio de posição física, da capacidade de ouvir e de uma observação adequada.

A "atenção física", esmiuçada na Tabela 3.1, engloba na comunicação não verbal a cinestesia com a expressão postural de gestos, contato visual e expressões faciais; a proxemia com a atenção para um distanciamento adequado entre o profissional e o paciente ou familiar (considera-se uma distância de 0,5 a 1 metro adequada); e, na comunicação verbal, a paralinguagem, com atenção para a dicção adequada, tônus da voz confortável, objetivando fluidez e ritmo.

◀ **Tabela 3.1.** Componentes da atenção física

Dimensão da comunicação	Componente	Características
Comunicação Não Verbal	Cinestesia	Expressão postural de gestos Contato visual Expressões faciais
	Proxemia	Distância adequada
Comunicação Verbal	Paralinguagem	Dicção Tônus da voz Fluidez e ritmo
	Reformulação Empática	*Feedback*

Em comunicação, outro fator importante é refletir o que compreendemos. Uma técnica verbal de fazer isso é a reformulação empática ou *feedback*, no qual se pergunta ao informado sobre o seu entendimento do que foi dito. Essa reformulação ajuda a identificar o conteúdo racional transmitido ao outro e os sentimentos subjacentes, além de retransmitir as ideias e emoções. Essa compreensão intelectual demonstra interesse e assegura que o que foi transmitido tenha sido absorvido do modo adequado.

A empatia é a capacidade de entender o que o outro sente, entrar em seu mundo e se colocar na sua perspectiva, a ponto de pensar com a cabeça e com os valores da outra pessoa. A tendência natural é a de impor ao outro o nosso próprio ponto de vista, mas uma comunicação empática consiste no principal objetivo de entender o outro. A atitude de escuta abrange toda a nossa pessoa, olhar, tato, audição e conseguimos perceber as diferentes dimensões da outra pessoa: as suas experiências, seu comportamento (o que ele faz e o que não pode fazer), suas emoções (como ele reage aos seus sentimentos), sua espiritualidade.

Protocolos de Comunicação

Informar más notícias para pacientes é uma das tarefas mais difíceis para os médicos, geralmente não treinados e despreparados emocionalmente para esse tipo de tarefa.

Existem diversos protocolos desenvolvidos para auxiliar e treinar os profissionais de saúde para melhorar e tornar sua comunicação mais efetiva e menos danosa ao paciente. O mais difundido entre eles é o SPIKES, criado como uma estratégia e não como um roteiro, destacando as principais características de uma entrevista sobre más notícias. As etapas desse protocolo serão descritas a seguir:

- *Setting* (S) – Planejar a entrevista: É fundamental à transmissão de informações um ambiente privado, além de evitar fatores de distração, como televisão ou rádio ligados. Deve-se saber se o paciente gostaria de ter familiares próximos durante a conversa. O profissional deve estar sentado e evitar barreiras físicas.

- *Perception* (P) – Avaliar a percepção: Este passo baseia-se no axioma "antes de contar, pergunte". O médico deve usar perguntas abertas para entender como o paciente percebe a situação. Algumas frases são sugeridas, tais como: "O que foi dito sobre seu quadro clínico até o momento?" ou "Qual a sua compreensão sobre as razões por que fizemos a ressonância?".

- *Invitation* (I) – Convidar o paciente: Grande parte dos pacientes deseja ter informações sobre seu diagnóstico. Entretanto, não é desprezível a quantidade de pacientes que não o querem. É importante identificar os que o desejam com perguntas diretas como: "De que maneira o(a) senhor(a) gostaria que eu informasse sobre os resultados dos exames?"; "Gostaria de ter toda a informação ou apenas um esboço dos resultados?". Se o paciente não quiser saber dos detalhes, ofereça-se para conversar no futuro ou falar com um parente ou amigo.

- *Knowledge* (K) – Dar conhecimento: Avisar ao paciente que más notícias estão por vir pode facilitar o processamento da informação. Deve-se buscar o nível de compreensão do paciente, tentando evitar termos técnicos. A informação deve ser dada em pequenas partes, sem eufemismos, de modo claro. Evitar frases como "Não há mais nada que possamos fazer por você".

- *Emotions* (E) – Abordar as emoções: As reações dos pacientes podem variar do silêncio à incredulidade, choro, negação ou raiva. Primeiro, deve-se observar qualquer emoção. Deve-se atentar para a necessidade do controle dessa emoção para que as informações seguintes sejam repassadas. Nesse momento, podem-se usar respostas empáticas, como: "Eu também queria que as notícias fossem melhores".
- *Strategy* (S) – Estratégia e Resumo: Fazer um resumo do que foi conversado anteriormente e elaborar um plano terapêutico claro, junto ao paciente.[10]

Entre os outros protocolos existentes, o BREAKS apresenta-se com uma estratégia fácil e sistemática para comunicação de más notícias. Trata-se de um protocolo, também, de seis passos e muito semelhante ao SPIKES. Do inglês: B – *Background* – conhecimento; R – *Rapport* – estabelecer vínculo; E – *Explore* – averiguar; A – *Announce* – noticiar; K – *Kindling* – lidar com as emoções; e S – *Summarize* – resumir. Esse protocolo envolve desde o processo anterior à conversa com o paciente, como o amplo conhecimento do caso e a preparação do ambiente, passando pelo desenvolvimento de vínculo entre médico e paciente, explorar o que o paciente já sabe e informá-lo de modo claro sobre o diagnóstico, observar e responder às emoções do paciente e, por fim, fazer um resumo da conversa realizada.[11]

Rabow e McPhee elaboraram o ABCDE, um mnemônico simples para transmissão de más notícias.[12] O protocolo encontra-se mais elucidado na Tabela 3.2.

◀ **Tabela 3.2.** Protocolo ABCDE

Advance preparation – Preparação prévia	Atentar para tempo adequado e privacidade. Revisar informações clínicas relevantes. Ensaiar mentalmente, identificar palavras ou frases. para usar ou evitar. Preparar-se emocionalmente.

Continua

Continuação

Build a therapeutic environment/relationship – Construir um ambiente/relação terapêutica	Determinar o que e o quanto o paciente quer saber. Tenha família ou pessoas próximas presentes. Apresente-se a todos. Alertar o paciente que más notícias estão por vir Tocar o paciente, quando apropriado.
Communicate well – Comunique-se bem	Perguntar o que o paciente ou a família já sabe. Ser franco, evitar eufemismos e jargões médicos. Permita silêncio e lágrimas; prossiga no ritmo do paciente. Solicitar para o paciente descrever sua compreensão das notícias; repetir a informação em visitas posteriores. Dê tempo para que lhe sejam feitas perguntas.
Deal with patient and family reactions – Lidar com as reações dos pacientes e familiares	Avaliar e responder às reações emocionais do paciente e da família. Seja empático.
Encourage and validate emotions – Incentivar e validar as emoções	Explorar o que a notícia significa para o paciente. Oferecer esperança realista de acordo com os objetivos do paciente. Use recursos interdisciplinares.

Por fim, há uma lacuna na educação médica em relação à comunicação não verbal. Nesse sentido, foi desenvolvida uma nova ferramenta, em Massachussets, designada EMPATHY. Essa sigla correspondem à: E – *eye contact* – contato visual; M – *muscles of facial expression* – músculos da expressão facial; P – *posture* – postura; A – *affect* – afeto; T – *tone of voice* – tom de voz; H – *hearing the whole patient* – ouvir o paciente como um todo; Y – *your response* – a sua resposta. Essa ferramenta contém os componentes-chave da avaliação de comportamentos não verbais independentemente da cultura em que os indivíduos estejam envolvidos.[13]

Considerações Finais

Comunicar-se é fundamental em todas as relações humanas, desenvolver a capacidade de se comunicar sem causar danos se torna necessário frente à comunicação de más notícias. O entendimento dos componentes da comunicação assim como a importância individual deles se faz necessária na formação de profissionais da área da saúde. O desenvolvimento de protocolos que auxiliam na técnica de comunicação de más notícias está cada vez mais difundido e ajuda os profissionais a aprimorarem suas deficiências, entenderem seus medos e valorizarem o momento único de comunicação.

Bibliografia

1. Ptacek JT, Eberhardt TL. Breaking bad news. A review of the literature. JAMA 76(6):496-502, 1996.
2. Buckman R. Breaking bad news: why is it still so difficult?. Br Med J 288(6430):1597-9, 1984.
3. British Medical Association. Communication skills education for doctors: an update. London: Board of Medical education, 2004.
4. Wanzer MB, Booth-Butterfield M, Gruber K. Perceptions of health care providers' communication: relationships between patient-centered communication and satisfaction. Health Commun 16:363–84, 2004.
5. Zolnierek KBH, DiMatteo MR. Physician communication and patient adherence to treatment: a meta-analysis. Med Care 47:826–34, 2009.
6. LittleJohn SW. Fundamentos teóricos da comunicação humana. Rio de Janeiro: Guanabara, 1988.
7. Ranjan P, Kumari A, Chakrawarty A. How can Doctors Improve their Communications Skills? Journal of Clinical and Diagnostic Research Mar 9(3): JE01-JE04, 2015.
8. Academia Nacional de Cuidados Paliativos. Manual de Cuidados Paliativos – ANCP. 2ª edição, 2012.
9. Roter DL, Frankel RM, Hall JA, Sluyter D. The expression of emotion through nonverbal behavior in medical visits. Mechanisms and outcomes. J Gen Intern Med 21:S28-34, 2006.
10. Baile WF, Buckman R, Lenzi R, Glober G, Beale EA, Kudelka AP. SPIKES – A Six-Step Protocol for Delivering Bad News: Application to the patient with cancer. Oncologist 5(4):302-11, 2000.
11. Narayanan V, Bista B, Koshy C. "BREAKS" Protocol for Breaking Bad News. Indian J Palliat Care May-Aug 16(2):61-65, 2010.
12. Rabow MW, McPhee SJ. Beyond breaking bad news: how to help patients who suffer. WJM 171: 260-263, 1999.
13. Riess HMD, Kraft-Todd G. Academic Medicine 89(8):1108-1112, 2014.

4

Barreiras para uma Comunicação Eficaz

Guilherme Liausu Cherpak
Luciana Machado Paschoal
Maria Fernanda Guerini

Introdução

A comunicação é um processo complexo que envolve a percepção, a compreensão e a transmissão de mensagens por parte de cada sujeito envolvido na interação, considerando-se o contexto, a cultura, os valores individuais, as experiências, os interesses e as expectativas próprios de cada um.[1] Nesse sentido, para o seu desenvolvimento é necessário o reconhecimento dos canais desse processo (Tabela 4.1), dos elementos e das estratégias de boa comunicação e de suas principais barreiras.[2]

◀ **Tabela 4.1.** Canais do processo da comunicação

Canal	Definição
Ruído	Interferência estranha à mensagem; qualquer distúrbio ou barulho indesejável.
Omissão	O receptor não consegue captar o conteúdo inteiro da mensagem, somente recebe ou passa o que pode captar.
Distorção	Seleciona os estímulos e informações que interessam ao comunicador, que omite as demais informações.
Sobrecarga	Volume de informação maior do que sua capacidade de processá-las. Provoca omissão e contribui para distorção

Mooritz RD, Lago M, Souza RP, Silva NB, Meneses FA, Otheri CB. Terminalidade e cuidados paliativos na unidade de terapia intensiva. Rev Bras Ter Intensiva 2008,20(4):422-428.

São considerados elementos básicos desse processo o emissor, a mensagem; o receptor e o ambiente ou contexto no qual a mensagem é enviada.[3] Outro aspecto importante é considerar que toda comunicação tem conteúdo e sentimento e pode ser expressa por meio de duas dimensões: a verbal e a não verbal. O conteúdo geralmente fica contido na mensagem verbal, enquanto os sentimentos são expressos primariamente de maneira não verbal.[1,3,4]

Muitas barreiras dificultam a comunicação e decorrem de limitações de natureza orgânica (afasias, déficit auditivo, déficit visual), memória, atenção ou raciocínio do receptor ou emissor, não havendo compreensão da mensagem ou estímulo emitido. São elas a pressuposição da compreensão, quando a pessoa que orienta crê que a mensagem foi entendida e não fornece mais explicações sobre o assunto abordado; imposição de valores; ausência de significação comum, quando o receptor não entende a linguagem do transmissor; influência de mecanismos inconscientes, quando o paciente nega sua doença, julgando-se sadio.[4,5]

O emprego de uma comunicação efetiva pelos profissionais de saúde é uma medida terapêutica comprovadamente eficaz.[6,7] Surge como um instrumento facilitador do processo de interação entre o profissional de saúde e paciente, além de favorecer o tratamento e o desenvolvimento destes, tornando-os ativos no processo do cuidado.[6,8]

Diversas estratégias de comunicação são citadas na literatura, porém nem todos os profissionais de saúde sabem utilizá-las.[9,10] Além disso, se observou que pacientes e familiares estão insatisfeitos com a forma como lhe transmitem informações.[9] Essas dificuldades e impedimentos tornam-se ainda mais evidentes quando uma equipe deve comunicar más notícias a seus pacientes e/ou familiares.

Comunicar más notícias é uma das tarefas mais difíceis que os profissionais de saúde têm de enfrentar, mesmo para os mais experientes, pois implica um forte impacto psicológico no paciente e sua rede de apoio. Sentimentos de culpa e frustração são comuns tanto nos médicos como nos familiares e interferem no momento de transmitir más notícias, assim como no tratamento.[9,10] A dificuldade e frequência com que ocorre esse evento contrastam com a deficiente preparação das equipes de saúde em termos de habilidades gerais de comunicação. Observou-se que a educação acadêmica oferece pouca formação para essa tarefa, colaborando para gerar desconforto, medo e ansiedade ao comunicar más notícias.[10] Entretanto, alguns estudos têm demonstrado que habilidades de comunicação podem ser ensinadas e incorporadas à prática médica, contribuindo para evitar a construção de barreiras e diminuir o hiato existente entre a formação e a prática clínica.[9,10]

Barreiras para uma Comunicação Eficaz

A comunicação eficaz permite o melhor cuidado ao paciente, uma vez que está relacionada a melhores desfechos, aderência ao tratamento, melhor qualidade de vida e permite ao paciente uma tomada de decisão informada e consciente.[11] Ela é necessária tanto na fase de diagnóstico, na discussão de opções de tratamento como em muitas outras situações constantes no processo da doença, porém torna-se ainda mais importante na comunicação de más notícias.

A qualidade de um processo de comunicação sofre influência de vários fatores como condições do ambiente, condições emocionais, físicas, psicológicas e fisiológicas dos envolvidos, diferenças culturais, singularidade das pessoas, habilidade e competência do profissional e comunicação não verbal adequada.[4,8]

Identificar as possíveis barreiras à comunicação eficaz é um elemento essencial para melhorar a qualidade da comunicação de más notícias.

Barreiras Associadas aos Pacientes e Seus Familiares

A maneira como a informação é transmitida pode influenciar substancialmente a compreensão do paciente sobre a notícia e seu ajustamento, além de afetar as emoções dos pacientes e familiares, crenças, relação médico e paciente, e como eles vêem o seu futuro.[9,10] Membros de uma família podem ter reações bastante diferentes em relação à mesma notícia.[9]

As reações individuais às más notícias são dependentes de uma série de fatores como personalidade, crenças religiosas, suporte de familiares e amigos, experiências prévias, expectativas, contexto cultural e o modo como essa notícia foi transmitida.[7,9,12,13] Choque, horror, raiva, descrença e negação são todas reações possíveis e qualquer pessoa responsável por dar más notícias precisa ser capaz de lidar com essas emoções. Nesse sentido, surge a importância de fornecer a informação aos poucos e verificar a compreensão. Mesmo que pacientes e familiares pareçam compreender a notícia, os profissionais de saúde devem estar preparados para dar explicações repetidas e responder perguntas.[7,13]

Indentificar quais as dificuldades em comunicar más notícias é importante para resolver as barreiras de comunicação. Um estudo em que foram entrevistados pais cujos filhos morreram na unidade de terapia intensiva (UTI) observou os seguintes problemas de comunicação: falta de disponibilidade dos médicos para ouvir as famílias; ocultação de informação e transmissão de falsas esperanças; fornecimento de informações contraditórias; uso de termos médicos; velocidade da informação; e linguagem corporal (Quadro 4.1).[9]

◀ **Quadro 4.1.** Barreiras dos pacientes e familiares

- Falta de compreensão sobre a doença, tratamento e prognóstico
- Grau de escolaridade
- Emoções e estado de ânimo
- Ausência de apoio e de mecanismos de enfrentamento
- Diferenças de valores, crenças e culturas

Assim, entender o que é importante para os pacientes e seus familiares pode contribuir para uma comunicação mais eficaz e maior facilidade na formação do vínculo.[9,13]

Barreiras Associadas aos Profissionais de Saúde

A comunicação de notícias difíceis ou más notícias é umas das mais penosas tarefas do profissional de saúde. Isso porque esses profissionais aprendem a salvar vidas, e não a lidar com situações de morte e perda de saúde, de vitalidade, de esperança.[1]

Evidências sugerem que a responsabilidade de dar más notícias acarreta fortes emoções como ansiedade e a angústia em receber reações negativas do paciente, o que pode gerar relutância nesse tipo de conversa.[14] Além disso, muitos médicos tem dificuldade de lidar com suas próprias emoções como tristeza, identificação, culpa, sentimento de impotência em relação ao estado de saúde do paciente.[13] No caso de informações desfavoráveis, o desconforto do profissional de saúde se agrava devido ao temor de destruir a esperança do paciente e aumentar seu sofrimento.

Médicos, em geral, não são ensinados a mostrar empatia e temem que demonstrações de emoções possam traduzir sinal de fraqueza ou falta de profissionalismo.[7]

Falta de treinamento de habilidades de comunicação e de supervisão necessária é evidente durante a formação de profissionais de saúde. Um estudo americano,[15] com 213 médicos residentes, revelou que em 61% das primeiras experiências em dar más notícias ocorreu com pacientes que tinham acabado de conhecer, e apenas 59% dos profissionais planejaram o que dizer. Desses, apenas 63% tinham acompanhado previamente algum atendimento envolvendo notícias difíceis.

A falta de profundidade na relação médico-paciente pode dificultar a transmissão de uma má notícia e, assim, a discussão de valores, crenças e expectativas do cuidado.[7] O conteúdo da comunicação está intimamente ligado ao referencial de cultura do profissional de saúde e do paciente, por isso, quanto mais informações do paciente, melhor será o desempenho ao transmitir uma informação (Quadro 4.2).

◀ **Quadro 4.2.** Barreiras dos profissionais de saúde

- Estresse físico, emocional e psicológico em dar más notícias
- Valores pessoais sobre cuidados paliativos e morte
- Experiências prévias e pessoais sobre adoecer e morrer
- Medo em parecer fraco e não profissional
- Culpa e sentimento de impotência
- Laços frágeis na relação médico-paciente
- Falta de treinamento e habilidades de comunicação
- Dificuldade em discutir valores, crenças e expectativas do paciente

Barreiras Associadas à Estrutura de Saúde

Impedimentos logísticos, físicos e técnicos podem ser barreiras importantes na comunicação entre médicos e pacientes/familiares. Em ambientes críticos como UTI, no qual pacientes não podem se comunicar em virtude do suporte intensivo, médicos podem ter dificuldades em compreender as metas de cuidados, obter diretivas antecipadas e identificar o responsável pelas decisões de saúde do paciente.[16]

Equipe médica não disponível durante horários de visita, reuniões familiares realizadas às pressas, emprego de linguagem técnica inadequada, estrutura física sem privacidade com interrupções contínuas são dificuldades relatadas por profissionais de saúde (Quadro 4.3).[16]

◀ **Quadro 4.3.** Barreiras associadas à estrutura de saúde

- Condições clínicas do paciente
- Falta de tempo
- Falta de estrutura física
- Falta de privacidade

Conclusão

É de extrema importância reconhecer fatores que podem dificultar uma comunicação eficaz em um contexto clínico desfavorável, já que apenas uma discussão honesta pode oferecer as informações necessárias para um suporte de qualidade e cuidado integral, que respeite as expectativas do paciente e seus familiares.

Reconhecer essas barreiras é o primeiro passo para desenvolver estratégias para capacitar profissionais de saúde com essa habilidade que se torna cada vez mais essencial para uma boa prática médica.[17]

Bibliografia

1. Carvalho RT, Parson, HA. Manual de cuidados paliativos ANCP: Ampliado e atualizado. 2 ed. Porto Alegre: Sulina, 2012.
2. Mooritz RD, Lago M, Souza RP, Silva NB, Meneses FA, Otheri CB. Terminalidade e cuidados paliativos na unidade de terapia intensiva. Rev Bras Ter Intensiva 2008,20(4):422-428.
3. Mendes AC, Trevisan, MA, Nogueira MS. Definições teórica e operacional do conceito de comunicação. Revista Gaúcha de Enfermagem, Porto Alegre, v.o, n.2, p.204-219, 1987.
4. Marinus MWLC, Queiroga BAM, Moreno LR, Lima LS. Comunicação nas práticas em saúde: revisão integrativa da literatura Saúde Soc 2014, 23(4):1356-1369.
5. Dell'Acqua, MCQ, et al. Comunicação da equipe multiprofissional e indivíduos portadores de hipertensão arterial. Revista Latino-americana de Enfermagem, Ribeirão Preto, v.5, n.3, p.43-48, 1997.
6. Rodrigues MVC, Ferreira ED, Menezes TMO. Comunicação da enfermeira com pacientes portadores de câncer fora de possibilidade de cura. Rev Enferm. UERJ 2010 Jan; 18(1):86-91.
7. Anderson I. Continuing Education Program in End-of-Life Care – University of Toronto 2000. Communication with patients and families – module 5.
8. Fermino TZ, Carvalho EC. A comunicação terapêutica com pacientes em transplante de medula óssea: perfil do comportamento verbal e efeito de estratégia educativa. Cogitare Enferm 2007, 12(3):287-295.
9. Traiber C, Lago PM. Comunicação de más notícias em pediatria. Boletim científico de pediatria 2012, 1(1).
10. Victorino AB, Nisenbaum EB, Gibello J, Bastos MZN, Andreoli PBA. Como comunicar más notícias: revisão bibliográfica. Rev SBPH 2007.
11. Granek L, Krzyzanowska MK, Tozer R, Mazzotta P. Oncologists' strategies and barriers to effective communication about the end of life. J Clin Oncol 2013.
12. Larson D.G, Tobin D.R. End of life conversations. JAMA 2000, 284(12).
13. Fallowfield L, Jenkins V. Communicating sad, bad, and difficult News in medicine. The Lancet 2004; 363: 312-19.
14. Tesser A, Rosen S, Tesser M. On the reluctance to communicate undesirable messages (the MUM effect). A field study. Psychol Rep. 1971; 29: 651-54.
15. Orlander JD, Fincke BG, Hermanns D, Johnson GA. Medical residents' first clearly remembered experiences of giving bad news. J Gen Intern Med 2002; 17: 825–31.

16. Askalon R A, Wyskiel R, Thornton I, Copley C, Shaffer D, Zyra M, Nelson J, Pronovost P J. Nurse-perceived barries to effective communication regarding prognosis and optimal end-of-life care for surgical ICU patients: a qualitative exploration. Journal of palliative Medicine 2012; 15: 910-15.
17. Department of Health, Social Services and Public Safety. Breaking Bad News – Regional Guideline 2003.

# 5

Religiosidade e Espiritualidade na Comunicação de Más Notícias

André Castanho de Almeida Pernambuco
Julliana Lianzza Fernandes Silva Pinheiro
Lucas Guimarães Machado dos Santos
Pérola de Almeida

Introdução

Pacientes com doenças como câncer avançado precisam lidar com o impacto físico e psicológico da doença e do tratamento, bem como com o impacto desses fatores em suas famílias. As estratégias que o paciente é capaz de usar para lidar com toda essa situação podem influenciar no manejo dos sintomas e ser importantes determinantes da sua qualidade de vida.[1]

Em 1988, a Organização Mundial de Saúde (OMS) iniciou um aprofundamento das investigações sobre a espiritualidade, incluindo o aspecto espiritual no conceito multidimensional de saúde. Atualmente, o bem-estar espiritual vem sendo considerado mais uma dimensão do estado de saúde, junto às dimensões corporais, psíquicas e sociais e já faz parte do questionário de qualidade de vida da OMS.[2]

Uma revisão de estudos do bem-estar psico/espiritual entre indivíduos com câncer avançado mostrou seis temas por meio dos quais a religião/espiritualidade influenciou o bem-estar: autoconhecimento, capacidade de lidar e ajustar-se ao estresse, relações e conectividade com outros, senso de fé, senso de empoderamento, confiança e viver com um proposito e com fé.[1]

Apesar de religião e espiritualidade serem vistas como sinônimos, há distinções a serem estabelecidas dentro das definições, e a própria compreensão da relação entre espiritualidade e bem-estar psicológico contém uma distinção.

O termo espiritualidade levanta questões a respeito do significado da vida, e da razão de viver e não se limita a alguns tipos de crenças e práticas, pode existir dentro ou fora de um contexto religioso, com muitos indivíduos que se consideram espiritualizados, não aderindo a uma religião específica.

Já a religiosidade é a extensão na qual um indivíduo acredita, segue e pratica uma religião, uma forma de se ligar com Deus. Há uma clara sugestão de um sistema de adoração e doutrina específica que é partilhada com um grupo. Apesar de a religião ser um método de expressão da espiritualidade, alguns indivíduos podem focar menos nos aspectos espirituais da religião e mais nas tradições, interações sociais e rituais.[3]

Pouco se fala sobre espiritualidade com os pacientes. No currículo médico não há disciplinas que ensinem a abordar tais questões. Não se trata de tarefa fácil acolher o paciente no momento de uma má notícia. Permitir que o paciente expresse sua religiosidade envolve a capacidade de compreender o mundo mediante uma fé que podemos não compartilhar.

Não é de se espantar que somente 49% dos oncologistas americanos (especialidade que por sua essência envolve comunicação de más notícias), num contexto de cuidados paliativos, acreditem não ser seu o papel abordar tais questões, mesmo que a maioria dos pacientes tenha esse desejo.[4]

No momento que recebe uma má notícia, o paciente passará por uma fase de questionamentos, um diagnóstico pode mudar totalmente a sua perspectiva de vida, é frequente que as pessoas se revoltem, mas com tratamento e apoio adequado, acabam superando. E esse apoio adequado envolve também a espiritualidade (uma das dimensões de todo ser humano).

O profissional da saúde não precisa se aprofundar nesse assunto com o seu paciente ou com os familiares dele, pois muitas vezes não se sentirá a vontade para o fazer, mas deve ter a preocupação de perguntar ao paciente se este tem alguma religião e se gostaria que algum representante dela fosse chamado para conversarem. Pode oferecer ao paciente também, a opção de conversar com algum outro profissional, que tenha mais facilidade para abordar o tema espiritualidade. Caso o profissional identifique-se com a questão, pode optar por abordá-la. Há situações em que médicos incentivam seus pacientes a rezarem e rezam junto com eles, pois a prática faz parte da própria espiritualidade do profissional, mas isso tem de ser algo espontâneo.

O objetivo desse capítulo é auxiliar o profissional da área de saúde, independente do modo como vivem sua espiritualidade, a compreender essa percepção em seus pacientes e avaliar o quanto ela pode influenciar no curso da doença. Também mostraremos um pouco, em entrevistas com líderes religiosos, como suas religiões entendem o sofrimento, a dor e a morte. Esperamos, assim, fornecer ferramentas que possivelmente tornarão o profissional mais hábil na comunicação.

Formas de Mensurar

A religiosidade e a espiritualidade sempre foram consideradas um grande suporte para as pessoas que sofrem e/ou estão doentes. No entanto, a medicina ocidental, como um todo, e a psiquiatria posicionam-se de duas maneiras:
1. negligenciando, por considerar esse assunto irrelevante ou simplesmente além da sua área de interesse principal;
2. oposição, ao caracterizar a experiência religiosa de seus pacientes como evidência de psicopatologia diversas.[5]

Atualmente existem diversos instrumentos desenvolvidos para avaliar religiosidade e espiritualidade, bem como correlacionar com qualidade de vida e capacidade de enfrentamento da doença e tratamento. Cada vez temos mais evidências produzidas de que a espiritualidade está correlacionada com a capacidade de enfrentamento, qualidade de vida e até mesmo com saúde mental. Uma revisão sistemática, selecionando 36 artigos da base de dados pubmed e CINAHL, encontrou correlação positiva entre bem-estar espiritual e qualidade de vida e saúde mental no grupo de pacientes com câncer, utilizando o questionário da Tabela 5.1.[6]

Apesar de existirem muitos estudos, não podemos negar que existem inúmeros entraves metodológicos para produzir resultados consistentes e reprodutíveis. Diferenças de sexo, etnia, nível socioeconômico, educação, o próprio estado de saúde, podem ser encarados como viés nos estudos. Além disso, a própria mensuração da espiritualidade e religiosidade é complexa, tendo em vista a grande variedade de crenças e práticas, que pode sofrer variações de um país para outro, ainda que se trate do mesmo conjunto de crença. Conseguir extrair o que realmente é essencial na religiosidade e espiritualidade no processo de enfrentamento da doença, de uma má notícia, na manutenção de bem-estar e da saúde mental, é uma meta um tanto ousada, quiçá utópica. Além disso, não devemos excluir desse grupo os ateus e agnósticos, pois, apesar de não serem religiosos, apresentam dimensão humana e subjetiva, que deve ser também mensurada.

Como dito anteriormente e em função de todas as questões citadas, a OMS incluiu um domínio espiritualidade, religiosidade e crenças pessoais no instrumento genérico de avaliação de qualidade de vida, o World Health Organization Quality of Life Instrument –100 itens (WHOQOL-100).

No Brasil, esse módulo foi conduzido por um grupo do Rio Grande do Sul, as questões utilizadas foram genéricas, aplicadas a pacientes e profissionais da área de saúde, incluindo diversas religiões e ateus. Estão descritas a seguir:[5]

1. Suas crenças pessoais dão sentido à sua vida?
2. Em que extensão você sente um significado em sua vida?
3. Em que extensão suas crenças pessoais dão-lhe forças para enfrentar dificuldades?
4. Em que extensão suas crenças pessoais ajudam-no a entender as dificuldades na vida?

A validação desde questionário já foi efetivada no Brasil – Instrumento de Qualidade de Vida da Organização Mundial da Saúde Módulo Espiritualidade, Religiosidade e Crenças Pessoais (WHOQOL-SRPB) – apresentando boas qualidades psicométricas.[7]

Tabela 5.1. Bem-estar espiritual

Por favor, faça um círculo em torno do número que melhor corresponda ao seu estado durante os últimos 7 dias.

	Preocupações adicionais	Nem um pouco	Um pouco	Mais ou menos	Muito	Muitíssimo
Sp 1	Sinto-me em paz	0	1	2	3	4
Sp 2	Tenho uma razão para viver	0	1	2	3	4
Sp 3	A minha vida tem sido produtiva	0	1	2	3	4
Sp 4	Custa-me sentir paz de espírito	0	1	2	3	4
Sp 5	Sinto que a minha vida tem um propósito	0	1	2	3	4
Sp 6	Sou capaz de encontrar conforto dentro de mim mesmo(a)	0	1	2	3	4
Sp 7	Sinto-me em harmonia comigo mesmo(a)	0	1	2	3	4
Sp 8	Falta sentido e propósito em minha vida	0	1	2	3	4
Sp 9	Encontro conforto na minha fé ou crenças espirituais	0	1	2	3	4
Sp 10	A minha fé ou crenças espirituais dão-me força	0	1	2	3	4
Sp 11	A minha doença tem fortalecido a minha fé ou crenças espirituais	0	1	2	3	4
Sp 12	Independentemente do que acontecer com a minha doença, tudo acabará em bem	0	1	2	3	4

Um guia prático baseado em evidências do CHEST, publicado em 2008, com cinco passos para melhorar a abordagem em reuniões familiares em pacientes de unidades de terapia intensiva (UTI), apresenta um sub tópico sobre espiritualidade. Nele é descrito que a satisfação da família com o atendimento é maior quando é feita a avaliação das necessidades de cuidado espiritual de familiares e de pacientes, e se o cuidado espiritual é fornecido por um serviço de capelania. Não há recomendação para o clínico fornecer este cuidado espiritual, mas ele deve ter como rotina, avaliar o desejo do paciente e da família e fazer o devido encaminhamento do cuidado.[8]

Alguns Conceitos Importantes

Religiosidade intrínseca e extrínseca

A religiosidade extrínseca corresponde à busca do indivíduo pelas praticas e rituais associados a instituições religiosas, bem como associados à busca de relações sociais por meio da religião, isso reflete um aspecto mais utilitário. Já a religiosidade intrínseca está associada à busca do indivíduo viver com intencionalidade e sinceridade a sua religião, correspondendo a um aspecto mais espiritual. Representa o modo como as crenças religiosas são internalizadas.[9-11]

Num estudo com 100 pacientes idosos diagnosticados com câncer, foi encontrada uma relação positiva entre religiosidade intrínseca, bem-estar pessoal e outros estados de humor positivos; bem como uma menor associação com depressão e com outros estados de humor negativos (r 0,44); sem que houvesse relação entre religiosidade extrínseca e depressão (r 0,09).[9]

Uma das maneiras que a crença religiosa pode proporcionar a sensação de bem-estar, principalmente diante de uma má notícia, é reduzindo o medo da morte. Esse medo é um forte modulador do comportamento humano, e a crença na vida após a morte pode promover conforto e bem-estar para o paciente, muitas vezes tornando não só o momento da má notícia mais confortável, como proporcionando melhor controle de sintomas no fim da vida. Em geral, a ansiedade relacionada à morte é maior em jovens do que em idosos, e a sensação de bem-estar é mais difícil de ser alcançada nesse público.

Um estudo analisou 375 jovens católicos e protestantes, tentou correlacionar a religiosidade intrínseca e extrínseca com a ansiedade relacionada à morte, crença na vida após a morte e satisfação com a vida. Uma das conclusões foi que as escalas de relisiosidade intrinseca e extrinseca tiveram relação maior com ansiedade relacionada à morte, com a crença na vida após a morte e com a satisfação com a vida, ntre o grupo dos protestantes.[11]

Uma metanálise publicada em 1985 já mostrava que a religiosidade intrínseca serve como medida de compromisso religioso, enquanto a extrínseca está correlacionada a preconceito e dogmatismo, além de maior ansiedade da morte.[12]

No Brasil temos validada a escala de religiosidade P-Durel, da Universidade de Duke (Tabela 5.2), com cinco itens e que mensura três dimensões do envolvimento religioso relacionados com desfechos de saúde.[13]

◀ **Tabela 5.2.** Índice de Religiosidade da Universidade Duke[14]

(1) Com que frequência você vai a uma igreja, templo ou outro encontro religioso?	1. Mais do que uma vez por semana. 2. Uma vez por semana. 3. Duas a três vezes por mês. 4. Algumas vezes por ano. 5. Uma vez por ano ou menos. 6. Nunca.
(2) Com que frequência você dedica o seu tempo a atividades religiosas individuais, como preces, rezas, meditações, leitura da bíblia ou de outros textos religiosos?	1. Mais do que uma vez ao dia. 2. Diariamente. 3. Duas ou mais vezes por semana. 4. Uma vez por semana. 5. Poucas vezes por mês. 6. Raramente ou nunca.
A seção seguinte contém três frases a respeito de crenças ou experiências religiosas. Por favor, anote o quanto cada frase se aplica a você. (3) Em minha vida, eu sinto a presença de Deus (ou do Espírito Santo).	1. Totalmente verdade para mim. 2. Em geral é verdade. 3. Não estou certo. 4. Em geral não é verdade. 5. Não é verdade

Continua

Continuação

(4) As minhas crenças religiosas estão realmente por trás de toda a minha maneira de viver.	1. Totalmente verdade para mim 2. Em geral é verdade. 3. Não estou certo. 4. Em geral não é verdade. 5. Não é verdade.
(5) Eu me esforço muito para viver a minha religião em todos os aspectos da vida.	1. Totalmente verdade para mim. 2. Em geral é verdade. 3. Não estou certo. 4. Em geral não é verdade. 5. Não é verdade.

Coping religioso

Coping é um conjunto de esforços cognitivos e comportamentais utilizados pelos indivíduos, quando estão diante de uma situação de intenso estresse e sofrimento, com a finalidade de se adaptarem a uma nova realidade ou situação. As estratégias de *coping* podem ser focadas na emoção ou na resolução de problemas. O *coping* religioso seria a busca por significados em tempos de estresse, um processo pelo qual o indivíduo busca entender e lidar com as demandas significantes da sua vida. Isso é feito por meio do uso de crenças e comportamentos religiosos para facilitar a solução de problemas e prevenir ou aliviar consequências emocionais negativas de situações estressantes da vida.

Estratégias religiosas de *coping* foram avaliadas em estudos quando o paciente estava diante de situações de crise como doenças, incapacidades, morte, perda de ente querido e guerra.

O *coping* religioso pode ser positivo ou negativo, nesse último ocorre, em geral, um processo de reavaliação de Deus como um ser malévolo e punitivo; ou a pessoa pode delegar para Deus a resolução do problema (não acreditando na medicina) e assume uma posição totalmente passiva diante da situação, ou descontentamento religioso.[15]

No *coping* positivo vemos que práticas como a reza e meditação podem aumentar o senso de controle sobre eventos estressantes, ao auxiliarem os indivíduos a alcançarem um senso de relação pessoal com uma entidade superior que oferece força e apoio para lidar com a doença. Além disso, a religião fornece um senso de propósito e significado para uma adversidade crônica ou para eventos aparentemente incompreensíveis, ajuda os indivíduos com uma doença terminal a ter um sendo se autoeficácia para aceitar a doença e manejar os problemas associados a ela. E, por fim, as crenças podem ajudar na compreensão do morrer.[1]

Estudos que distinguem estratégias de *coping* positivo e negativo mostraram que o primeiro foi mais relacionado com um *status* mental saudável, com uma maior maturidade espiritual. Estratégias de *coping* negativo estão relacionadas a um aumento da mortalidade e a angustia.[1]

◀ E como lidar com a crença no milagre?

Diante de um caso de paciente com doença oncológica avançada, ou que será submetido a um procedimento cirúrgico de alto risco, pode ocorrer que paciente e familiar acreditem que um milagre acontecerá. A postura mais fundamental para o médico é deixar claro até onde vai a sua atuação, e quais são as expectativas diante do tratamento ou procedimento.

Com base na literatura e experiência do profissional, é importante certificar-se que o paciente compreendeu os limites do campo de atuação da medicina. Dessa maneira, o médico deve deixar o paciente livre para acreditar em um possível milagre, com a clareza para ambos de qual o limite de atuação do médico naquela situação. Muitas vezes, quando paciente refere que acredita em um milagre, não é uma afronta à ação do profissional de saúde, mas sim um verdadeiro entendimento de que a situação é tão crítica, que só uma força maior poderá "salvá-lo"; ele precisa naquele momento manter a esperança para suportar a dor. Podemos, nesse caso, manter essa esperança, desde que para ele esteja claro o limite ou risco terapêutico. Artigos de revisão sugerem que a crença em milagres pode refletir uma crença no sobrenatural, na intervenção divina sobre as leis da natureza; uma expressão de esperança ou otimismo sobre a possibilidade de recuperação inesperada; uma manifestação de negação de perda iminente; ou uma expressão de raiva, frustração ou decepção sobre os limites dos cuidados da medicina.[16]

A questão é que a crença em milagre pode trazer, em alguma situações, impactos negativos nos cuidados, pois alguns estudos citam que esse grupo está mais propenso a solicitar a continuação do suporte de vida, mesmo que o médico esclareça sobre o prognóstico ruim.[16]

Nesses casos, a abordagem da espiritualidade, segundo um estudo coorte com 343 pacientes realizado nos Estados Unidos, pode aumentar a chance de aceitação de cuidados paliativos em até duas vezes e comparação com pacientes que não receberam essa abordagem.[17]

Apesar disso, não há uma técnica de comunicação voltada para abordar a crença em milagre. Um estudo francês publicado no *New England*, conduzido em 22 unidades de terapia intensiva, utilizando em reuniões familiares para comunicação de fim de vida a técnica VALUE – recomendada pela CHEST –, houve uma aceitação maior de familiares (que incialmente eram contra) em descontinuar medidas de suporte intensivo de vida, em um contexto em que cuidados paliativos estavam indicados.[18]

O maior problema da crença no milagre é o paciente abandonar um tratamento para seguir sua fé, o que pode ser considerado um *coping* religioso negativo. Cabe ao médico explicar ao paciente e à família, por meio de reuniões familiares, as consequências da desistência. Fazer sempre o devido registro no prontuário (descrever toda situação, o que foi explicado, os que estavam presentes nas reunioes), e respeitar a autonomia do paciente, deixando claro que ele pode voltar para retomar o tratamento a qualquer momento (nunca fechar a porta para o tratamento), mas enfatizar que este poderá não ter a mesma eficácia. Sempre que possível, deve haver algum profissional da Psicologia acompanhando o caso (em geral, os que têm formação em cuidados paliativos e ou luto conseguem lidar melhor com a situação). Caso o paciente retorne, evitar culpá-lo assim como a seus familiares.

No campo da Pediatria, Duncan et al. recomendam que, mesmo quando portadora de uma doença terminal, é importante que a criança possa ainda sonhar e manter a esperança. Falar sobre o futuro, ter planos, estreitar relações favorece que se mantenha ligada à vida, mesmo que se despedindo dela. Os autores salientam que mesmo as crianças desejam deixar um legado, elas desejam sentir que serão lembradas.[19]

Entrevistas com os Representantes Religiosos

Segundo o zen-budismo: entrevista com a Monja Waho Degenszajn

Qual o sentido do sofrimento, segundo sua religião?
Minha religião é o zenbudismo sotoshu – japonês.

Parte da procura realizada por Xaquiamuni Buda, o Buda histórico que viveu na Índia há aproximadamente 2.600, vem dessa pergunta. Ao ver o sofrimento, a velhice, a doença e a morte, ele decide encontrar uma maneira de transcender esse sofrimento.

Seu primeiro ensinamento fala sobre as quatro nobres verdades:
1. Que sofrimento existe;
2. Se existe sofrimento, existe algo que o está causando;
3. Existe a cessação do sofrimento;
4. O Nirvana, um estado de paz e tranquilidade.

Um dos selos do budismo é a transitoriedade, a impermanência de todas as coisas. Entender isso, ou melhor, realizar isso, nos permite lidar melhor com as dores e dificuldades decorrentes de uma doença grave e com tudo na vida.

Nossa prática principal é o zazen – sentar em zen, meditação. Por meio do zazen regular, começamos a conhecer nossa mente, nossos estados mentais, a ver a realidade como ela é, e não como gostaríamos que fosse. Certamente, ninguém gostaria de ter uma doença grave, mas quando acontece, o que fazemos? Sentimos pena de nós mesmo? Culpamos alguém ou procuramos um médico, tratamento e ajudamos no processo da cura?

Shundo Aoyama Roshi – sobre a àgua e o barco... Olhar para a realidade, acolher a si mesmo e agir, momento a momento, entendendo que nada é fixo e permanente. A fé, ajuda muito também.

No budismo, tudo que nos acontece está relacionado à lei de causa e condições. Causas e condições são propícias e algo acontece, ao mesmo tempo somos interrelacionados a tudo que existe, como uma grande teia. A dor da perda deve ser vivida. O luto deve ser vivido, mas não podemos reter nada.

Enquanto há vida, procuramos mantê-la com cuidado e compaixão.

Xaquiamuni Buda disse, em seu último discurso do Darma (Breve Parinirvana Sutra), que tudo que se une, inevitavelmente um dia se separa. A vida se renova a cada instante. Sofrimento, velhice, doença e morte são condições dessa nossa vida humana e acometem a todos sem exceção.

A lei do carma, que para o budismo significa ação que deixa marca. Nossas ações diárias deixam marcas benéficas ou prejudiciais que não se apagam. Com novas ações, podemos transformar nosso carma prejudicial. Mas o resultado disso pode acontecer nessa vida ou em outro ciclo de renascimento, ou seja, pode não resultar em mudanças nessa vida. Muitas vezes, nos sentimos assim, enganados. Praticamos o bem e nos acontecem coisas injustas... assim como o contrário.

Nossas ações praticadas em outros ciclos de renascimentos podem gerar carmas nesta existência também.

◀ **Com relação à morte, existe algum ritual?**

Existem rituais budistas para morte. Desde a preparação do corpo no momento da morte, no velório, na hora do enterro. Depois, fazemos preces de 7 em 7 dias até completar 49 dias – período muito importante em que a pessoa que morreu deve completar o ciclo e seguir para luz infinita.

◀ **Qual a melhor forma de cuidar dessa passagem dos pacientes e familiares?**

Oferecendo sua presença verdadeira. Quase sempre não precisamos falar muito, só agradecer e se a pessoa estiver aparentemente inconsciente, deixar que ela saiba que está tudo bem, que todos vão ficar bem. Acredito que o toque também é importante para o paciente. Para os familiares, sempre agradecer pelo tempo de vida compartilhado.

Procurar preservar, lembrar de bons exemplos deixados pela pessoa e assim a mantemos viva em nossa vida.

◀ **O que acontece após a morte, segundo sua religião?**

Nós budistas somos cremados. O zen-budismo soto não descreve sobre o pós-morte, ou não dá enfase a isso. Nada pode ser extinto em essência, somos um processo em incessante transformação. Para nós não existe uma alma fixa/permanente que vai renascer novamente em outro corpo.

Nós nos mantemos vivos na vida de todos os seres. Para o zen, em especial, o que importa é o presente, esse instante que é único e precioso. Nossas ações, pensamentos e palavras transformam o mundo e como queremos que isso se dê?

Os três preceitos puros para o budismo são: não fazer o mal; fazer o bem; e fazer o bem a todos os seres.

Segundo a doutrina católica, entrevista com Frei Roberto Ishara – capelão do Hospital São Paulo

Deus não criou o sofrimento, este é fruto do pecado original. Para vencer e dar sentido ao nosso sofrimento, Deus enviou seu Filho Jesus, que assume nossa humanidade e sofre. Jesus vence e dá sentido ao sofrimento humano quando carrega, é pregado e morto na Cruz. Assim, quando eu vejo a pessoa que amo sofrendo, eu só consigo acolher, compreender, encontrar sentido e superar o sofrer do outro, a partir do sofrimento de Jesus na cruz. Assim, quando eu mesmo sofro, eu só consigo acolher, compreender, encontrar sentido e superar o meu sofrer a partir do sofrimento de Jesus na cruz. Por quê? Porque, aos poucos, eu vou percebendo que tenho um Deus que sofreu. Se Deus sofreu, Ele me dará sentido e superação diante dos sofrimentos da vida. Assim como Jesus transformou a cruz, instrumento de dor, morte e condenação, em instrumento de amor, vida e salvação, nós também podemos transformar nossos sofrimentos em meio de salvação; meio de purificação e reparação dos pecados; caminho de santidade; caminho de caridade; caminho de crescimento humano e espiritual; experiência de fé; experiência de encontro pessoal com Cristo etc. O Cristo pregado na cruz não é apologia ao sofrimento, mas ao amor de Deus por nós, que venceu e dá sentido aos nossos sofrimentos.

Somos constituídos de corpo, alma e espírito. Cada um com sua importância particular. Mas a dimensão espiritual tem primazia sobre o corpo e a alma. A fé é o meio pela qual nos tornamos "ligados" (religião é *re-ligare*), "sintonizados", "comunicados", em "comunhão" com Deus, fortalecendo, assim, nossa dimensão espiritual, que acaba fortalecendo nosso corpo e nossa alma. No caso de doenças, um paciente de fé, esperança, caridade e de oração mantém um espírito forte e imune e, em consequência, corpo e alma com imunidade alta.

Apesar do corpo e alma doentes, mas o espírito saudável, o paciente de fé acolhe melhor sua condição de enfermidade, acolhe melhor seu tratamento, acolhe melhor a medicação e seus efeitos curativos, acolhe melhor o auxílio dos profissionais da saúde, acolhe melhor a visita de familiares e amigos, acolhe melhor a cura. Fé e oração melhoram a imunidade, do paciente e a predisposição para a cura. Além disso, o paciente encontra na sua religião o sentido e a força para enfrentar sua doença.

A partir da paixão-morte-ressurreição de Jesus, a morte se torna vida; o fim se torna passagem (Páscoa). Mas a morte corporal é dor e sofrimento, pois não foi criada por Deus e não fez parte de seus planos (é consequência do pecado original – o homem, com o livre arbítrio, disse não à Deus). Jesus, então, vence a morte, morrendo! Para os católicos cristãos, a morte é passagem dolorosa, pois além de ir contra o nosso "instinto de conservação", leva a uma separação do corpo e da alma; a morte só pode ser superada por meio do amor! Do amor de um Deus que foi capaz de morrer por nós; e do Amor pelo ente falecido.

Quando os familiares recebem a notícia da morte do paciente, só há dor e lágrimas porque houve muito amor na relação familiares-paciente morto.

A dor é proporcional ao amor. O fundamento da dor da morte é o amor. Por isso, Jesus literalmente chora a morte de seu amigo Lázaro que tanto amava. Dito isso, como passar, então, da dor da morte de um ente querido para a resolução do luto? É preciso ter a consciência de que o fundamento da dor é o amor que se teve para com o ente falecido. Chora-se de dor, mas termina-se cada choro de dor com o amor. Com o tempo, o amor vai cicatrizando a dor, até permanecer apenas o amor pelo falecido.

Na Igreja Católica, temos o sacramento da unção dos enfermos, ministrado aos fiéis com vida e que correm o risco de morrer por doença ou velhice; recebem graças especiais de Deus para alívio espiritual, temporal, e é uma preparação para a vida eterna. Temos fé que se for espiritualmente bom para o enfermo recuperar a saúde, pode-se certamente esperar que se cure após receber esse sacramento. Não será uma cura súbita e miraculosa, pois Deus, sempre que possível, atua por meio de causas naturais, que, nesse caso, serão

Capítulo 5 Religiosidade e Espiritualidade na Comunicação de Más Notícias 53

fortalecidas pelo sacramento. A unção só pode ser administrada por um sacerdote e, antes de recebê-la, se o paciente estiver lúcido, é orientado a confessar-se. Nunca devemos ter o receio de aborrecer um sacerdote chamando-o para atender uma pessoa doente e nem ter o receio de assustar o paciente perguntando se quer receber a unção. Não sabemos em que momento a alma abandona o corpo, é por isso que a Igreja autoriza os sacerdotes a administrar o sacramento se ainda houver dúvida quanto à morte e, em caso de morte repentina (acidente, parada cardíaca), a não ser que já tenha começado a decomposição, a alma ainda pode estar presente no corpo, e o sacerdote pode administrar o sacramento de modo condicional.

No caso da pessoa já falecida, temos a celebração das exéquias, também chamada de encomendação do corpo, por meio de um ritual celebrado ao lado do corpo do falecido com a presença dos familiares e amigos, geralmente realizado nos velórios.

Segundo a doutrina católica, crê-se na ressurreição dos mortos. Quando morremos, imediatamente temos o chamado julgamento particular. Podemos ir para o inferno eterno, purgatório ou céu. Inferno não é falha da misericórdia de Deus, que quer salvar a todos, mas uma opção consciente e deliberada da pessoa em vida, seja pela sua consciência, seja pelas suas obras más sem arrependimento. A pessoa sabe que é o mal, sabe quem é Deus, e opta livremente pela negação contínua de Deus, e assim opta pelo inferno. Purgatório é um estado e lugar onde se reparam as penas dos pecados cometidos. As almas do purgatório já têm o céu garantido, mas passam por um tempo de purificação, pois no céu não pode entrar nenhum resquício de impureza.

O céu é a vida em plenitude face a face com Deus. Nesse julgamento particular, em que podemos ir para um desses três lugares, ainda não recebemos nosso corpo e alma gloriosos (nossa condição definitiva). Jesus ainda virá uma segunda vez (segundo advento de Cristo), em que se terminará o tempo em que vivemos atualmente, chamado "tempo de salvação", e todos se colocarão diante de Jesus para o juízo final. A partir desse momento, aos que aceitaram a lavação, lhes serão dados corpo e alma gloriosos, e naugurar-se-ão o reino de Deus, a vida eterna e definitiva junto de Deus.

Segundo o islamismo, entrevista com Sheikh Mohamad Khalil

◀ **Qual o sentido do sofrimento, segundo a sua religião?**

Os pilares da filosofia islâmica são revelados por meio do sagrado Alcorão. Um deles é a crença de que Deus é essencialmente justo em tudo que faz, de que Ele definiu os benefícios de cada um e de que irá recuperar a todos daquilo pelo qual foram submetidos na vida terrena.

O islamismo acredita que esta vida é passageira, que serve como base para construção, por meio da materialização de nossas atitudes, a vida verdadeira pós-terrena, de modo que o sofrimento é uma parte desta vida.

◀ **Como a religião pode ajudar no processo de cura ou no tratamento de alguma doença grave?**

Deus ordena que os muçulmanos procurem a cura para suas doenças, procurando por meio dos médicos as causas principais para tratar os problemas de saúde. Deus é capaz de operar milagres em função da fé do ser humano muçulmano e por meio do benefício que, em sua sapiência, decretou para cada um, Deus traz alguma solução para algum problema.

No ambiente espiritual, a cultura islâmica é muito rica. Deus comunica-se com os muçulmanos; pelas súplicas, pela reza e invocação a Deus, a compaixão divina consola ao auxiliar a pessoa a esquecer deste sofrimento.

◀ **Como a religião explica ou ampara uma grande perda (p. ex.: mãe vendo o filho morrer por câncer)?**

Deus Altíssimo explica detalhadamente nos versículos do Alcorão que o ser humano passa por provas e para as quais tem de se preparar para que o muçulmano cumpra sua missão de vida. Podem ser provas no âmbito da saúde, financeiras, espirituais ou emocionais.

A construção da vida pós-terrena é mediada pelo exercício de atributos divinos, semelhantes verdadeiramente a Deus. Para se preparar para a próxima vida, o muculmano deve tentar diariamente ser semelhante a Deus, exercitando misericórdia, compaixão e paz demais virtudes. A nossa missão é

Capítulo 5 Religiosidade e Espiritualidade na Comunicação de Más Notícias

receber provas, que funcionam como um modo de enfrentar os desafios futuros. Enquanto estiver sofrendo provas ele será mais sábio, mais forte.

Uma árvore que não tem tanta oferta de água, como no deserto, é mais forte, sua madeira mais pesada e mais firme, seu fogo é mais intenso em comparação com árvores que sempre tiveram acesso à água.

Quando um coração duro reza sem sentimento, não há benefício. Pessoas com o coração leve sentem que Deus está a seu lado mesmo nesses momentos.

◀ Para que, segundo sua religião, acontece alguma desgraça, perda ou doença na vida?

Segundo o islamismo, Deus Altíssimo acrescentou nossa existência a seu mundo, nossa vida é uma de suas dádivas; do mesmo modo, a decisão de nossa saída do mundo é de Deus.

Todas as coisas que acontecem no mundo são justas, porém muitas vezes não conseguimos perceber sua causa. Independentemente do conhecimento da causa, que, por muitas vezes, vai escapar ao nosso conhecimento, Deus vai recuperar esse sofrimento.

◀ Como explicar para uma pessoa que sempre foi honesta, justa, correta e que segue o que é ensinado no templo sobre um evento catastrófico na vida?

A vida terrena é uma vida falsa, condicionada a problemas e ao lado material. Pela justiça divina Deus vai recuperar a pessoa que sofre. Na vida pós-terrena, a pessoa que viveu receberá as benesses do modo como viveu. Deus é sempre justo, não é compatível com Sua essência que seja injusto, de modo que é impossível que não recupere para aqueles que sofreram, especialmente com pessoas pacíficas e justas.

◀ Com relação à morte, existe algum ritual?

No momento da morte, é recomendável colocar o paciente em direção à Meca, deve ser realizadas rezas ou leitura do Alcorão. Evitar fofocas. Também é importante que pessoas por perto não estejam num estado de impureza ritual (aplicada aos muçulmanos, sem que haja limitação a pessoas que não compartilhem a fé muçulmana). Após o falecimento, deve ser realizado um banho com ervas aromáticas, entre elas cânfora.

◀ **Qual a melhor forma de cuidar dessa passagem dos pacientes e familiares?**

"Que Deus recompense você por sua paciência", Deus deu a vida e retirou de modo justo como é de sua natureza. O islamismo sugere aceitar a justiça divina, submeter-se à vontade divina e a seu decreto. A permanência absoluta é exclusivamente divina e nossas vidas são passageiras.

◀ **O que acontece após a morte, segundo sua religião?"**

Após a morte, o islamismo acredita que o corpo volta à sua origem na terra, e a alma vai nascer em outro corpo no limbo, onde o há condições para sentirmos os resultados daquilo que realizamos nesta vida e Deus vai recuperar, dentro de Sua justiça, até o dia do juizo final.

Segunda a doutrina kardecista, entrevista com Luiz Armando

◀ **Qual o sentido do sofrimento, segundo a sua religião/ doutrina?**

Resgatando e adequando ao entendimento do homem tecnológico o princípio da reencarnação proibido no século VI (Segundo Concílio de Constantinopla) pela escola religiosa dominante no lado Ocidental da Terra, o espiritismo, baseando-se em depoimentos de espíritos desencarnados por meio de pessoas dotadas da mediunidade mais ostensiva obtidos desde meados do século XIX a partir de Paris – e, de modo mais exuberante no Brasil do século XX – confirma que a existência no corpo físico é parte de um processo objetivando a evolução espiritual do Ser, da individualidade. Regulando o processo reencarnatorio que periodicamente recoloca e realoca o espírito na dimensão em que nos encontramos, funciona a chamada "lei de ação e reação" (do karma) que expõe o indivíduo aos efeitos ou consequências do que fez de si em vidas passadas, desenvolvendo transtornos biopsicossociais, permitindo que o ele se liberte das desarmonias resultantes de suas ações contra si e contra o próximo. Desse modo, o sofrimento nada mais é do que a oportunidade de libertação dos prejuízos causados à criação divina, buscando gradualmente a perfeição espiritual a que está predestinado.

◀ **Como a religião/doutrina pode ajudar no processo de cura ou no tratamento de alguma doença grave?**

Despertando na criatura a consciência sobre sua realidade espiritual, chamando a atenção para o fato de que somos vítimas de nós mesmos até o momento em que começarmos a agir de modo mais consciente e responsável em relação à mente, ao corpo e às relações sociais. A cura em qualquer nível será o resultado de uma mudança em nossa essência espiritual, nos tornando criaturas melhores a cada momento, sob pena de prolongarmos os sofrimentos até que despertemos para a responsabilidade de viver.

◀ **Como a religião/doutrina explica ou ampara uma grande perda (p. ex.: mãe vendo o filho morrer por câncer)?**

Esclarecendo-a de que, apesar de não querermos admitir, Deus está no comando mesmo de uma vida passageira como a nossa. Afinal, a longevidade do corpo humano, apesar dos avanços na área da ciência, ainda é pequena. Argumentando que tudo é passageiro, só o que vem de Deus permanece. Estamos, na verdade, tendo uma oportunidade de nos redimirmos de equívocos de obscuro passado, em que desequilibramos nossa saúde ou do nosso próximo, sendo conduzidos pelas leis da consciência, a dissipar os registros que carregamos no nosso inconsciente profundo, um banco de dados incrível que conserva além das vidas que se foram, memórias das vivências experienciadas.

◀ **Para que, segundo sua religião/doutrina, acontece alguma desgraça ou perda ou doença na vida?**

Para permitir àquele que infringiu a lei de Deus se reerguer perante sua própria consciência que se reconhece além da morte, presa ao remorso, complexo de culpa, arrependimento. O que chamamos de "desgraça", no mundo espiritual é visto como grande oportunidade de recuperação com vistas à continuidade do processo evolutivo. Diante desses eventos, com base no espiritismo, entendemos o sentido do ensinamento evangélico "a cada um é dado conforme as próprias obras". Aquele que se reconhece em meio a problemas do tipo, evidentemente está na posição do transtornado emocional que momentaneamente se mostra impermeável a ideias novas, rechaçadas pro questões culturais, intolerâncias religiosas etc.

◀ **Como explicar para uma pessoa que sempre foi honesta, justa, correta e que segue o que é ensinado no templo sobre um evento catastrófico na vida?**

Convidá-la a refletir que a postura adotada dentro dos elementos citados na pergunta, na verdade, representam aquisições espirituais que não a eximem da necessidade de atravessar momentos de expiações e provas como dito pelo espiritismo, a primeira situação nada mais é do que uma reverberação do que causou a si mesmo em vidas de outrora – ou mesmo na atual – e a segunda situação, como testes de avaliação que verificam o grau de interiorização dos conhecimentos derivados das experiências vividas.

◀ **Com relação à morte, existe algum ritual?**

Não, a não ser a prece, a oração e o respeito, seja em relação àquele cujo corpo não possibilita mais a manifestação do espírito, seja em relação às reações compreensíveis dos familiares remanescentes neste Plano. O espiritismo, todavia, recomenda um intervalo de no mínimo 50 horas para uma eventual cremação (no Brasil estabelecido em 72 horas), tempo em que o desligamento das várias conexões que prendem o corpo espiritual ao corpo físico estão sendo desligadas. A questão da extração de órgãos deve merecer o mesmo respeito com que as dissecações nas salas de anatomia são conduzidas. O mesmo nas autópsias, visto que, no período de horas referido, o espírito cujo corpo morreu, geralmente, não se desligou totalmente. A questão da extração de órgãos deve merecer o mesmo respeito com que são tratados os corpos durante as dissecações nas salas de anatomia, onde os alunos são preparados e convidados a uma oração pelo cadáver que vai começar a ser estudado e desmontado. O mesmo nas autópsias, visto que no período das horas referido, o Espírito cujo corpo morreu, está em processo de desligamento.

◀ **Qual melhor forma de cuidar dessa passagem dos pacientes e familiares?**

Fazer-se presente, se for o caso escutando-o em suas angústias, respeitando o momento difícil.

◀ **O que acontece após a morte, segundo sua religião/doutrina?**

Nesse aspecto, o espiritismo, baseado nos depoimentos de espíritos comunicantes, tem muito a dizer. O pós-morte, apesar de alguns pontos em comum, dependerá do modo como viveu, o que passa pela experiência do que o espiritismo chama de desencarnação. Um desses pontos, como por sinal, evidenciado nas chamadas EQM – experiências de quase morte, a revisão dos fatos da vida num lapso de tempo. Outro, o denominado torpor, uma espécie de desmaio ou perda momentânea de consciência. A partir daí, as diferenças são peculiares a cada indivíduo cujo retorno ao plano espiritual – pois de lá saiu para reencarnar –, o situado no nível vibratório compatível com sua condição mentoemocional equilibrada ou conturbada. Nesse sentido, apesar de nossa dificuldade de entendimento, existiriam infinitos planos e subplanos espirituais como por sinal, aventado pela chamada "teoria das supercordas", formulada pela Física Quântica, que fala que nossa realidade seria uma variação de outras que integram os chamados "universos paralelos". Nessas surpreendentes realidades, em níveis vibratórios diferentes, existiria vida organizada como aqui. Aliás, Chico Xavier, o famoso médium de Uberaba, em didática afirmação disse que "o mundo material é prolongamento do mundo espiritual". Neste, após tratamentos e readaptações, o espírito do que desencarnou, além de ter se reencontrado com familiares que o antecederam em muito ou pouco tempo na volta a essas Dimensões, se integrará a atividades compatíveis com suas possibilidades. Existe grande quantidade de obras assinadas por milhares de espíritos que se servem da mediunidade para contar suas experiências, testemunhando a sobrevivência após o evento do qual nenhum de nós escapará. No século XX, por sinal, o espírito de personalidades ligadas à literatura, pintura, medicina, música em várias partes do mundo demonstraram estar vivos em outra dimensão. Para os que quiserem elementos para reflexão, na obra *O Livro dos Espíritos,* encontram-se mais de 200 respostas sobre a chamada vida após a morte e, noutra, *O Céu e o Inferno* ou a *Justiça Divina Segundo o Espiritismo*/segunda parte, 62 depoimentos agrupados segundo o tipo de morte de Espíritos ouvidos por Allan Kardec em reuniões específicas contando como foram o morrer e o despertar depois de terem morrido fisicamente.

Segundo a doutrina protestante, entrevista com Pastor Bruno Oliveira – capelão do INCA. No final haverá notas com observações do pastor

O protestantismo tenta a todo momento encontrar propósito no sofrimento. Dentro da visão neopentecostal, quando o sofrimento é relativo à doença, vem do próprio adversário (diabo). Deus não envia sofrimento aos seus filhos, pois não quer mal àqueles que ama. Por isso a doença e o mal devem ser repreendidos, não devem ser aceitos. Esse pensamento é majoritário entre os pregadores televisivos. O protestantismo histórico não associa o sofrimento diretamente à personificação do mal, mas tenta encontrar sentido para todas as coisas, buscando os porquês das situações, acreditando que Deus permite que o mal chegue aos homens, mas sempre com um propósito maior: o aperfeiçoamento do homem, o crescimento. "Foi-me bom ter eu passado pela aflição, para que aprendesse os teus decretos" (Salmos 119:71).

Com relação ao processo de cura: a visão protestante, de modo geral, a resposta é sempre cristocêntrica. O Messias, ao levar sobre si nossas dores e enfermidades, tem também o poder de nos livrar desses males. A chamada "cura divina" está associada à fé que o indivíduo tem em Deus. No mundo pentecostal e neopentecostal, ela independe da atuação médica e da ciência, em alguns momentos levando até mesmo a ser procedimentos antagônicos. Já encontrei nos corredores dos hospitais religiosos dessa linha apregoando: "Não acredite em seu médico. Acredite em Deus!". Para o protestantismo histórico essas duas atuações são convergentes. A cura pode se dar por meio da atuação da ciência, mas sempre sobre a inspiração divina. Aquele que desenvolve sua fé sempre vai conseguir lidar melhor com o sofrimento e com o tratamento. Vale ressaltar que, para o protestantismo, essa fé deve ser direcionada à figura de Cristo, único capaz de ajudar nessas situações. O cristocentrismo surge nesse ponto de maneira muito forte, pois lidar com tais momentos de maneira eficaz, se dá apenas na aproximação com o Cristo.

No protestantismo a morte é a transição da vida terrena para o destino eterno do indivíduo. O que traz segurança para os protestantes é saber que o paciente descansa no paraíso, preparado desde antes da fundação do mundo. Lá, ele é confortado pelas feridas dessa vida pelo próprio Deus. O momento da morte é visto, por aqueles que professam essa fé, como de tristeza, pela saudade que fica, mas de conforto, pelo fim do sofrimento. Por mais paradoxal que possa parecer, isso é muito perceptível na prática. As lágrimas de saudade que regam a certeza de um mundo melhor, já habitado pelo moribundo. Para as famílias protestantes, diante da morte de um paciente não protestante, atrelado à dor da perda, ainda paira a duvida do destino eterno do seu ente querido. A oração é um rito importante nesse momento.

Para o protestantismo majoritário, após a morte, o paciente é levado a um lugar de descanso onde aguardará o julgamento final de cada ser, dirigido pelo próprio Deus. Outra corrente crê que o julgamento ocorre exatamente após a morte e o indivíduo já tem ali traçado seu destino eterno. O que há de consenso é a existência de dois destinos: céu, preparado para aqueles que seguiram os preceitos de Deus e reconheceram Jesus como única porta de acesso ao paraíso (visão arminiana), ou para aqueles que foram eleitos para tal (visão calvinista); e inferno, preparado para os que optaram não aceitar Jesus como seu Deus (visão arminiana), ou foram predestinados para tal (visão calvinista). O corpo volta ao pó e o espírito vai para a eternidade de acordo com o que lhe couber mediante as questões acima.

◀ Notas

Penso que o sofrimento é algo inerente à existência. Enquanto estivermos atados ao fio da existência, estaremos sujeitos a ele. Não escolhe destinatários. Encontrar sentido no sofrimento é tarefa difícil, até mesmo porque somos muito parecidos diante da dor. Nossa urgência sempre está na tentativa de amenizá-la. Amar a dor, tentar enxergar algo bom enquanto dói, parece paradoxal à tentativa de se viver, de fato. Por isso, vejo que, muito mais que buscar um sentido no sofrimento, a religião deve nos levar a buscar sentido na vida, pois a doença e a finitude sempre nos apontam para a vida que temos vivido e a vida que temos deixado de viver.

A meu ver, a religião não só liga o homem ao sagrado, mas também consigo mesmo e com a vida neste mundo. Um dos propósitos essenciais da religião em sociedades primitivas não era colocar os indivíduos em contato com Deus, mas sim o de colocá-los em contato uns com os outros. Existem acontecimentos na vida de cada um de nós que não desejamos vivenciar sozinhos. A religião nos ensina a fazer isso na companhia dos outros. O Divino, o Sagrado se manifesta deste modo no outro. A Religião, no seu processo de *religare*, de religação, faz o paciente entrar em contato consigo mesmo, com os outros e com o sagrado. Canalizar a possibilidade da fé apenas em uma figura, seja ela Cristo, Buda, ou outro, é desvalorizar as formas em que a religião é manifesta em diversas culturas em que tais nomes não são conhecidos. Cicely Saunders, grande nome do cuidado paliativo, diz que o sofrimento só é insuportável quando ninguém cuida, e a religião nos ajuda a dividir as dores, a compartilhar o sofrimento, a nos ligar ao sagrado, mesmo que esse "sagrado" esteja no outro.

Em minha experiência como capelão titular em um instituto federal de tratamento de câncer há dez anos, não é da morte que as pessoas têm medo, mas sim, de nunca terem vivido. Claro que o histórico religioso de cada um o fará pensar no que haverá depois da morte de maneiras diferentes, mas a grande dor é o desapegar-se da vida. Já vi pacientes protestantes pedirem uma última canção, uma última eucaristia, uma última oração, mas, em sua maioria, querem olhar pra vida que viveram e descobrir significado, sentirem que valeu a pena viver, que suas vidas marcaram aqueles que os cercavam. Favorecer uma despedida, ressaltando os momentos especiais, os vínculos marcantes, dar significado à vida vivida se constituem numa importante estratégia do desligar-se da vida. Isso pode ser acompanhado de um ritual, mas sempre escolhido pelo paciente ou sua família. O protestantismo perdeu muito do seu modo ritualístico, e os ritos são muito mais relacionados àqueles símbolos que marcam a existência dos fieis do que estipulados pela igreja.

Para mim, o mal é muito mais uma ideia presente na humanidade do que uma personificação. Consequentemente, um lugar para onde os maus vão se constitui numa ameaça para levar os homens a seguir o bem. E o que vem depois? Prefiro me debruçar sobre o mistério da finitude, reconhecendo a falta de certezas para as coisas que nos são desconhecidas. O mistério não pode nos levar a, na busca por respostas, criar mecanismos baseados no medo, para manter os homens no caminho que queremos. A morte é descanso, é o fim de uma jornada, e o que acontece após é o maior mistério da vida.

Bibliografia

1. Tarakeshwar N, Vanderwerker LC, Paulk E, Pearce J, Kasl S V, Prigerson HG. Religious coping is associated with the quality of Life of patients with advanced cancer. J Palliat Med. 2006;9(3):646–57.
2. Kuyken W, The WHOQOL Group. The World Health Organization Quality Of Life Assessment (WHOQOL): Position Paper From The World Health Organization. 1995;41(10).
3. Nelson CJ, Rosenfeld B, Breitbart W, Galietta M. Spirituality, religion, and depression in the terminally Ill. Psychosomatics. 2002;43:213-20.
4. Rodin D, Balboni M, Mitchell C, Smith PT, Vanderweele TJ, Balboni TA. Whose role? Oncology practitioners' perceptions of their role in providing spiritual care to advanced cancer patients. Support Care Cancer. 2015.
5. Flecka MP da A, Borgesb ZN, Bolognesia G, Rocha NS da. Desenvolvimento do WHOQOL, módulo espiritualidade, religiosidade e crenças pessoais development of WHOQOL spirituality, religiousness and personal beliefs module. Rev Saude Publica. 2003;37(4):446-55.
6. Bai M, Dixon JK. Exploratory Factor Analysis of the 12-Item Functional Assessment of Chronic Illness TherapyÂŒSpiritual Well-Being Scale in People Newly Diagnosed With Advanced Cancer. J Nurs Meas. 2014;22(3):404-20.
7. Panzini RG, Maganha C, Bandeira DR, Fleck MP. Validação brasileira do instrumento de qualidade de vida/espiritualidade, religião e crenças pessoais Brazilian validation of the quality of life instrument/spirituality, religion. Rev Saude Publica. 2011;45(1):153-65.
8. Curtis JR, White DB. Practical guidance for evidence-based ICU family conferences. Chest. 2008;134(4):835-43.
9. Fehring R, Miller J, Shaw C. Spiritual well-being, religiosity, hope, depression, and other mood states in elderly people coping with cancer. Oncol Nurs Forum. 1997;24(4):663-71.
10. Musgrave CF, Mcfarlane EA. Intrinsic and extrinsic religiosity,spiritual well--being, and attitudes toward spiritual care : a comparison of Israeli jewish oncology nurses' scores. Oncol Nurs Forum. 2004;31(6):1179-84.

11. Cohen AB, Pierce JD, Chambers J, Meade R, Gorvine BJ, Koenig HG. Intrinsic and extrinsic religiosity, belief in the afterlife, death anxiety, and life satisfaction in young catholics and protestants. J Res Pers. 2005;39:307-24.
12. Donahue MJ. Intrinsic and extrinsic religiousness: review and meta-analysis. J Pers Soc Psychol. 1985;48(2):400-19.
13. Taunay TCD, Gondim FDAA, Macêdo DS, Moreira-Almeida A, Gurgel LDA, Andrade LMS, et al. Validity of the Brazilian version of the Duke religious index (DUREL). Rev Psiq Clín. 2012;39(4):130-5.
14. Moreira-Almeida A, Peres MF, Aloe Neto FL, Koenig HG. Versão em português da escala de religiosidade de Duke.
15. Panzini RG, Bandeira DR. Escala de coping religioso-espiritual (escala CRE); elaboração e validação de construto.
16. Widera EW, Rosenfeld KE, Fromme EK, Sulmasy DP, Arnold RM. Approaching Patients and Family Members Who Hope for a Miracle. J Pain Symptom Manage [Internet]. Elsevier Inc; 2011;42(1):119-25. Disponível em: http://dx.doi.org/10.1016/j.jpainsymman.2011.03.008.
17. Balboni TA, Balboni M, Enzinger AC, Gallivan K, Paulk ME, Wright A, et al. Provision of spiritual support to patients with advanced cancer by religious communities and associations with medical care at the end of life. JAMA Intern Med. 2013;173(12):1109-17.
18. Lautrette A, Darmon M, Megarbane B, Joly LM, Chevret S, Adrie C, et al. A communication strategy and brochure for relatives of patients dying in the ICU. 2007;469-78.
19. Duncan J, Joselow M, Hilden JM. Program interventions for children at the end of life and their siblings. Child Adolesc Psych Clin North Am. 2006;15:739-58.

6

Reunião Familiar

André Castanho de Almeida Pernambuco
Gabriela Haas H. Barros
Vanessa Nishiyama Matsunaga

Introdução

Um dos pilares fundamentais nos cuidados prestados a qualquer indivíduo que apresente uma doença ameaçadora da vida envolve uma comunicação efetiva entre o paciente, seus familiares e os profissionais de saúde.[1,2] Dentre os instrumentos utilizados, principalmente em cuidados paliativos, encontra-se a reunião familiar, também chamada de conferência familiar.[3-5]

A reunião familiar é um procedimento interdisciplinar complexo que nos auxilia a alcançar um cuidado mais humano e verdadeiro.[6] Os objetivos da reunião familiar são:[1-8]
- Avaliar o entendimento do paciente e seus familiares, suas preocupações e enfrentamento da doença;
- Compartilhar informações acerca do diagnóstico, tratamento e prognóstico;
- Promover apoio psicológico aos familiares;
- Descobrir e compreender quais são os valores e as preferências do paciente e seu núcleo familiar, para assim chegar a um consenso e definir as estratégias de cuidados atuais e futuros;
- Ganhar confiança e fortalecer a relação médico-paciente.

Infelizmente, a reunião familiar tende a acontecer em um momento tardio da admissão hospitalar ou quando é preciso tomar decisões em situações críticas.[3,9] Desse modo, tanto o paciente quanto seus familiares podem desenvolver sintomas de ansiedade e depressão ao se depararem e serem confrontados com escolhas de tratamento inesperadas, dentro do ambiente hospitalar, com profissionais de saúde com os quais muitas vezes não são familiarizados.[1,2,5,6]

No intuito de melhorar a assistência ao paciente e seus familiares, recomenda-se que a reunião familiar seja feita proativamente, incluindo os aspectos médicos, espirituais e psicossociais, aliados à perspectiva do paciente sobre sua doença e ao desenvolvimento de um plano de cuidados. Com essa medida foi observada redução no tempo de internação em unidades de terapia intensiva (UTI), permitindo a retirada antecipada do suporte avançado de vida sem aumentar as taxas de mortalidade e facilitando o acesso do paciente ao cuidado paliativo.[1,3,5,9]

No entanto, a colocação da reunião familiar como rotina em ambiente hospitalar parece impraticável, principalmente em ambiente de pronto-socorro e UTI, muitas vezes porque as pessoas admitidas são teoricamente saudáveis e são acometidas por evento agudo potencialmente reversível, e ainda mesmo por serem ambientes menos propensos a esse diálogo, tendo em vista a dinâmica inerente às condutas e cuidados e a rotatividade da equipe de saúde e falta de horizontalidade. Assim, vale ressaltar alguns indicadores em que a reunião familiar deve ser realizada proativamente:[1,6]

- Depois de um longo tempo de internação;
- Para explicar a gravidade da doença ou a progressão de doença crônica;
- Quando outros marcadores da doença são reconhecidos, em que se possa antecipar sobre procedimentos e um prognóstico reservado;
- Tomada de decisões sobre retirada ou manutenção de suporte avançado de vida;
- Reconhecimento precoce de conflito familiar entre familiares e equipe prestadora do cuidado em relação a objetivos e métodos de tratamento;
- Situações que predizem a necessidade de diretivas antecipadas: como pacientes que previamente já tinham perda de funcionalidade, pacientes com alta

probabilidade de morrer ou perder grande parte de suas funções ou que tiveram uma estada prolongada na UTI;
- Planejamento da alta.

Apesar de a reunião familiar proporcionar uma oportunidade aos profissionais de saúde em abordar assuntos delicados na pauta (p. ex.: incurabilidade da doença, impacto dos diferentes tratamentos na sua qualidade de vida, expectativa de vida e alternativas de tratamento), geralmente, isso não é feito de maneira adequada, pois faltam aos médicos técnicas básicas de comunicação que poderiam melhorar a compreensão do paciente e familiares, como checar o seu entendimento.

Além disso, frequentemente, esses encontros acabam por não levantar questões difíceis por uma dificuldade da própria equipe em abordá-las.[2] Tal fato deve-se justamente porque a grande maioria dos profissionais de saúde tem pouco preparo e treinamento para a comunicação de más notícias durante sua formação acadêmica, o que torna a reunião familiar uma tarefa desafiadora. As outras possíveis dificuldades são a falta de conhecimento sobre quais serão as opções de tratamento, o receio da reação emocional do paciente e o desconforto de demonstrar seus próprios sentimentos perante o paciente.[1,3,4,9]

Por isso, existem alguns protocolos para a realização de reuniões familiares que estabelecem algumas características em comum.[1,3,4,8,9]

- Definir um local calmo e dedicar um tempo ininterrupto para a discussão;
- Descobrir qual o entendimento do paciente e de seus familiares ou cuidadores sobre a situação atual;
- Fornecer informações e perguntar se há dados adicionais que o paciente e seus familiares querem ou precisam saber;
- Lidar com o impacto emocional da doença sobre o paciente e seus familiares;
- Garantir um plano de cuidados.

Como exemplo, há os protocolos SPIKES, VALUE, ABCDE e PREPARED (discutidos no Capítulo 3 deste livro). Essas ferramentas podem ser usadas como uma estrutura para organizar uma reunião familiar na tomada de decisões difíceis, no conhecimento do paciente como indivíduo e na compreensão de suas expectativas, esperanças e medos.[2,4,9]

É importante que após o término de uma reunião familiar, o paciente e seu familiares tenham tempo e espaço para pensar, de modo a se sentirem mais seguros e propensos a tomar decisões de acordo com seus objetivos e que sejam as mais apropriadas para a situação colocada.[9] As reuniões familiares não precisam ser realizadas em apenas uma discussão, é possível fazê-las em um processo contínuo de conversação, e a resposta do paciente e seus familiares é que irá ditar o ritmo e o volume e o conteúdo a ser discutidos.[4]

Como Conduzir uma Reunião Familiar

Quando a reunião familiar é bem conduzida, observa-se redução do estresse pós-traumático, ansiedade e depressão entre os membros da família, além de diminuição no tempo de hospitalização e melhora na qualidade da experiência de fim de vida.[10-13]

Porém, para que seja efetivamente conduzida requer-se técnica de comunicação adequada e organização. Fizemos uma revisão de literatura sobre o tema e identificamos, curiosamente, que a maior parte das publicações sobre reunião familiar vem do âmbito de unidades de terapia intensiva, seguida por cuidados paliativos. Nosso objetivo foi compilar os tópicos mais importantes e adequá-los a nossa realidade. Para fins didáticos, dividiremos o processo em três etapas: (A) preparação, (B) momento da reunião familiar e (C) documentação e planejamento.[1-3,14-18]

Preparação

- Quando realizar a reunião familiar? Idealmente nas primeiras 72h da admissão. A reunião familiar mais efetiva é a profilática, aquela na qual os familiares são convidados a conversar sem haver nenhum tipo de crise ou piora clínica.
- Revisar o histórico médico do paciente, tratamentos atuais (de efeitos negativos e positivos) e possibilidades terapêuticas. Discutir com equipe interdisciplinar os principais pontos, de modo que todos estejam alinhados com o plano de cuidados.

- Determinar prognóstico, incluindo funcionalidade, controle de sintomas e sobrevida.
- Se o paciente estiver lúcido, pedir permissão a ele para realizar a reunião familiar. Caso ele não queira participar, solicitar que defina uma ou duas pessoas mais importantes que ele gostaria que estivessem envolvidas na discussão do planejamento de cuidados. Caso ele não esteja com cognitivo preservado, revisar diretivas antecipadas (se existirem).
- Definir quem da equipe interdisciplinar será o líder da reunião. Essa pessoa não necessariamente é o médico. Deve ser alguém com habilidade em comunicação, trabalho em grupo, liderança, aconselhamento, e deve ter conhecimento clínico e prognóstico. Essa pessoa deverá fazer os convites a toda a equipe e aos familiares, agendar e coordenar a reunião.
- Definir quem da equipe interdisciplinar irá participar. Idealmente o médico, enfermeiro e assistente social devem estar presentes. Os outros integrantes da equipe estarão presentes conforme a demanda do caso. Atentar para não sobrecarregar a família com muitas pessoas da equipe.
- Escolher um lugar privado, silencioso, sem interrupções, com cadeiras confortáveis, dispostas em círculo, próximas umas das outras.

Momento da reunião familiar

- Agradecer a todos pela presença.
- Apresentar-se e convidar a todos a se apresentarem.
- Estabelecer algumas regras da reunião (p. ex.: cada pessoa terá sua chance de expressar sua opinião e fazer perguntas; solicitar para desligar telefones etc.) e informar duração prevista (média 30 minutos, máximo 60 minutos).
- Explicar os objetivos da reunião. Exemplos:
  - Reunião profilática: *Nós rotineiramente convidamos a família para uma reunião nos primeiros dias de internação para nos conhecermos melhor, para que possamos esclarecer o que vem acontecendo e para termos a chance de responder a dúvidas que vocês possam ter.*

- ▫ Primeira reunião: *Tivemos muitos acontecimentos recentes e pensamos que seria uma boa ideia nos reunirmos para atualizar vocês e saber se vocês têm alguma dúvida ou preocupação específica que possamos ajudar a esclarecer.*
- ▫ Crise iminente: *Teremos dias difíceis pela frente. O sr.(a). .... não está mostrando sinais de melhora, como esperávamos. Pensamos que seria melhor sentar com todos vocês para atualizar sobre as condições dele(a), os dados médicos, e ouvir como vocês estão lidando com este momento.*
- ▫ Crise: *Como vocês já sabem, o sr.(a). .... vem piorando. Precisamos discutir cuidadosamente as condições atuais para que vocês saibam quais são as opções e possam tomar as decisões.*
- ▫ Cuidados de fim de vida: *O que vocês esperam agora? O que é importante para vocês? Tem alguma coisa que vocês ainda precisam concluir? O que vocês esperam ver no tempo que resta?*
- Determinar o que o paciente e a família já sabem. Escutar o que eles têm a dizer.
- Responder às demandas da família, alinhar expectativas e informações; tentar definir diretivas antecipadas, se for o caso. Demonstrar empatia, acolher emoções. Atentar para diferenças socioculturais.
- Resumir consensos, desacordos, decisões e planos de cuidados. Enfatizar resultados positivos da reunião.
- Tolerar silêncios e aguardar por mais perguntas.
- Agradecer a todos pela presença.

Documentação e planejamento
- Assegurar à família que a equipe é acessível.
- Planejar o próximo contato e agendar nova reunião ou deixar telefone para contato.
- Documentar: quem estava presente, as decisões tomadas e planos de cuidados estabelecidos.
- Debater com a equipe interdisciplinar os pontos altos e baixos da reunião (*feedback*). Identificar e fazer sugestões para melhorar a comunicação nos próximos encontros.

Conflitos

Quando reuniões familiares são conduzidas com o objetivo de mudança de paradigma no tratamento do paciente de curativo para um foco em alívio de sintomas e conforto, pode haver um impacto negativo na comunicação. Porém, algumas vezes, uma comunicação previamente falha pode ser a causa do conflito no momento de crise. Prever esses conflitos é uma maneira inteligente de se planejar para enfrentá-los.

Citaremos agora as principais causas de falhas de comunicação, envolvendo "gaps" de informação, definição imprecisa dos objetivos e tratamentos, emoções, dinâmica familiar e da equipe de saúde e relação do paciente/familiar com a equipe:[19]

Gaps de informação

- Entendimento impreciso das condições clínicas do paciente (p. ex.: prognóstico superotimista ou pessimista).
- Informações inconsistentes (um médico ou profissional da equipe diz uma coisa e outro diz outra).
- Informações confusas (uso de jargão médico, múltiplas opções de tratamento apresentadas sem recomendação clara ou adequada compreensão do paciente ou dos familiares sobre elas).
- Excesso de informação (familiares, amigos e outros médicos dando informações sem total conhecimento do problema).
- Incerteza genuína (p. ex.: predizer desfecho funcional após trauma encefálico).
- Linguagem/Tradução/Culturas

Definição imprecisa dos objetivos do tratamento

- Tratamentos inconsistentes e metas pouco claras ou desproporcionais (p. ex.: quero que realize RCP, mas não quero que intube).
- Prioridades diferentes entre família/paciente e médicos no que diz respeito a tratamento da doença e tratamento dos sintomas (priorizar conforto).
- Falta de clareza sobre objetivos do tratamento quando há muitas coisas ocorrendo ao mesmo tempo (p. ex.: câncer avançado, sepse, insuficiência respiratória – a pneumonia não é potencialmente tratável?).

Emoções
- Luto/Pesar: Não sei como vou viver sem ele(a).
- Medo/Ansiedade: Não quero ser responsável por acabar com a vida do meu pai(mãe). Minha família me odiará por isso.
- Culpa: Não visito minha irmã(ão) há 20 anos. Deveria ter estado mais presente.
- Raiva: Minha mãe(pai) sempre me maltratou e nunca consegui perdoá-la(o); Você está desistindo dela(e).
- Esperança: Acredito em milagres.

Dinâmica familiar e equipe de saúde
- Paciente e família discordam das condutas entre si.
- Família disfuncional (incapaz de colocar os desejos do paciente acima de seus próprios valores ou prioridades).
- Cuidador inábil para os cuidados (problemas psicológicos, traços psiquiátricos, déficit cognitivo).
- Equipes de saúde com condutas discordantes (muitas vezes colocando o paciente e familiares no meio dessa disputa).

Relação da equipe com o paciente e/ou cuidador
- Falta de confiança na equipe de saúde.
- Experiências prévias em que o paciente teve desfechos mais favoráveis que o atual.
- Diferenças de valores (culturais, religiosos, vida × morte etc.).

Conflitos são estressantes não só para a família e o paciente mas também para a equipe de saúde. Por isso, é fundamental, após cada reunião, realizar uma conferência para avaliar o que deu certo e o que pode ser melhorado na comunicação, e, ainda, de modo mais importante, identificar algum estresse emocional que possa existir e ser amparado na própria equipe.

Conclusão

Uma comunicação efetiva é o componente essencial para a realização de uma reunião familiar, dentro de qualquer contexto médico, principalmente quando se trata da comunicação de más notícias.

Quando conduzida adequadamente, é observado que a reunião familiar pode reduzir sintomas como depressão e ansiedade do paciente e dos familiares.[3,5,20] Os poucos estudos sobre o tema demonstram o aumento no nível de satisfação do núcleo familiar relacionado tanto à empatia da equipe quanto à garantia de que o paciente não será abandonado antes de morrer, à certificação de que o paciente ficará confortável e sem sofrimento e ao apoio da equipe nas decisões familiares sobre os cuidados de fim de vida, incluindo a decisão de retirada ou não do suporte avançado de vida.[2,3]

A conferência familiar, quando bem estruturada, oferece a chance de o paciente e os familiares expressarem suas preocupações, auxiliando na melhora da comunicação entre as partes, aliviando o estresse emocional e aumentando a qualidade de vida para ambos, além de ir preparando e orientando o familiar para o papel de cuidador, quando for o caso.[3,5,7]

Ainda há poucos trabalhos na literatura que abordam o tema, sendo a maioria dos artigos sobre como preparar e educar os profissionais de saúde na condução de uma reunião familiar baseada em grupos com poucos participantes. Ainda é necessária a existência de estudos com maior nível de evidência para avaliar sua eficácia e promover maior aceitação e preparo das equipes.[1,3]

Bibliografia

1. Singer AE, Ash T, Ochotorena C, Lorenz KA, Chong K, Shreve ST, et al. A systematic review of family meeting tools in palliative and intensive care settings. Am J Hosp Palliat Care. 2015; 1-10.
2. Sharma RK and Dy SM. Cross-cultural communication and use of the family meeting in palliative care. Am J Hosp Palliat Care. 2011; 28(6): 437-44.
3. Hudson P, Quinn K, O'Hanlon B, Aranda S. Family meetings in palliative care: multidisciplinary clinical practice guidelines. BMC Palliat Care, 2008; 7:12.
4. Clayton JM, Hancock KM, Butow PN, Tattersall MHN, Currow DC. Clinical practice guidelines for communicating prognosis and end-of-life issues with adults in the advanced stages of a life-limiting illness, and their caregivers. Med J Aust 2007. 186(12); S77-108.
5. Hudson PL, Girgis A, Mitchell GK, Philip J, Parker D, Currow D, et al. Benefits and resource implications of family meetings for hospitalized palliative care patients: research protocol. BMC Palliat Care. 2015; 14:73.
6. Andrew Billings J. The end of life family meeting in intensive care Part I: indications, outcomes, and family needs. J Palliat Med. 2011; 14: 9.

7. Hudson P, Thomas T, Quinn K. Family meetings in palliative care: are they effective? Palliat Med. 2009; 23: 150-57.
8. Kissane D, Bylund C, Brown R, Levin T, Lubrano B. Conducting a family meeting. The MSKCC Comskil Training. Memorial Sloan-Kettering Cancer Center 2007; 1-9.
9. Joshi R. Family meetings: an essential component of comprehensive palliative care. Can Fam Physician. 2013; 59: 637-39.
10. Lautrette A, Darmon M, Megarbane B, et al. A communication strategy and brochure for relatives of patients dying in the ICU. N Engl J Med. 2007;356(5):469-78.
11. Lilly CM, De Meo DL, Sonna LA, et al. An intensive communication intervention for the critically ill. Am J Med. 2000;109(6): 469-75.
12. Glavan BJ, Engelberg RA, Downey L, Curtis JR. Using the medical record to evaluate the quality of end-of-life care in the intensive care unit. Crit Care Med. 2008;36(4):1138-46.
13. Campbell ML, Guzman JA. Impact of a proactive approach to improve end-of-life care in a medical ICU. Chest. 2003;123(1): 266-71.
14. Weissman DE, Quill TE, Arnold RM. Preparing for the family meeting. Journal of Palliative Medicine 2010; 13(2): 203-4.
15. Weissman DE, Quill TE, Arnold RM. The family meeting: Starting the conversation. Journal of Palliative Medicine 2010; 13(2): 204-5.
16. Weissman DE, Quill TE, Arnold RM. Responding to emotion in family meeting. Journal of Palliative Medicine 2010; 13(3): 327-28.
17. Weissman DE, Quill TE, Arnold RM. The family meeting: end-of-life goal setting and future planning. Journal of Palliative Medicine 2010; 13(3): 462-63.
18. Andrew Billings J, Block SD. The end of life family meeting in intensive care Part III: A guide for structured discussions. Journal of Palliative Medicine 2011; 14: 9.
19. Weissman DE, Quill TE, Arnold RM. The family meeting: Causes of conflict. Journal of Palliative Medicine 2010; 13(3): 328-29.
20. Joling KL, Van Hout HPJ, Scheltens P, Vernooji-Dassen M, Van Den Berg B, Bosmans J, et al. (Cost)-effectiveness of family meetings on indicated prevention of anxiety and depressive symptoms and disorders of primary family caregivers of patients with dementia: design of a randomized controlled trial. BMC Geriatr, 2008. 8: 2.

7

Comunicação na Emergência Médica – Um Desafio Cotidiano

Aécio Flávio Teixeira de Góis
Alessandra Rodrigues Fiuza

A comunicação entre a equipe de saúde, o paciente e seus familiares é essencial para uma boa prática médica. O entendimento do paciente e de seus familiares sobre os seus diagnósticos e prognósticos deve sempre ser uma preocupação para o médico, que, muitas vezes, se torna o elo entre a equipe e a família nos momentos de comunicação de más notícias.

Essa tarefa de comunicação não é corriqueira ou fácil de ser realizada em nenhum momento, mas, em situações mais extremas: de tomada de decisões imediatas, piora repentina de um paciente ou o fim da vida de um ente querido, acabam se tornando mais delicadas, principalmente no ambiente de pronto-socorro, em que, na grande maioria das vezes, os médicos não conhecem os pacientes e seus familiares.

Como agir para que, em um primeiro contato ou em um único contato, possamos fazer diferença na vida daquela pessoa? Qual será a melhor maneira de notificar a morte repentina em um ambiente de emergência? Contar que o câncer progrediu e que aquele sintoma é uma manifestação da doença? Que o câncer curado anos atrás recidivou? Que o acidente automobilístico foi fatal? Que o acidente de moto levou a paraplegia? Ou que aquela cefaleia que não parecia ser nada importante pode ser uma doença mais grave?

Essas são situações cotidianas para os profissionais de saúde, mas que são únicas para aquelas famílias. Talvez seja este o grande desafio da comunicação de má notícia na emergência: encarar cada paciente como único, com sua história de vida e com necessidade de amparo naquele curto momento.

Artigos científicos mostram a dificuldade da comunicação na emergência médica, mesmo em países desenvolvidos com sistemas de saúde mais bem estruturados. Estudo norte-americano mostra que os pacientes percebem que os profissionais tratam com respeito, demonstram preocupação e têm conversas sem interrupção, no entanto, não encorajam os pacientes a fazerem perguntas, não envolvem os pacientes nas tomadas de decisão, não mostram interesse na maneira como o paciente enxerga sua saúde e nem cumprimentam o paciente de maneira que ele se sinta confortável. Isso nos mostra que os pacientes desejam mais envolvimento na tomada de decisão e mais oportunidades de fazerem perguntas.[1,2]

Um outro estudo mostrou que médicos da emergência utilizam técnicas simples para a comunicação, como falar sem termos técnicos ou falar mais pausadamente, mas não utilizam outras técnicas de comunicação por acreditarem que estas aumentam o tempo da conversa. Estudos, no entanto, mostram que elas não fazem as conversas durarem mais tempo e, ainda, aumentam a satisfação dos pacientes e familiares.[3]

Diante desse cenário, foram desenvolvidas técnicas capazes de auxiliar na prática clínica no ambiente de emergência para que se possa realizar um atendimento focado na autonomia do paciente. Utiliza-se a regra mnemônica CURVES para propor um caminho para essa tomada de decisão. Com essa regra, inicialmente é avaliada a capacidade de tomada de decisão do paciente, segundo o Quadro 7.1.[4]

◀ Quadro 7.1

C - omunicar e escolher	Capacidade de escolha dos pacientes entre as opções dadas a eles e de comunicar sua preferência (verbal, escrito ou gestual)
U - Entender (*Understand*)	Entender os riscos, benefícios, alternativas e consequências de qualquer intervenção planejada
R - acionalizar	Racionalizar explicações adequadas para aceitar ou recusar cada intervenção
V - alores	A decisão deve ser coerente com os valores do paciente

Se essas habilidades do paciente estiverem presentes, existe a capacidade de tomada de decisão, e esta deve ser seguida. No entanto, em algumas situações, os pacientes não apresentarão essa capacidade. Nesses casos, os médicos deverão partir para os itens E e S (Quadro 7.2).[4]

◀ Quadro 7.2

E - mergência	Existe uma emergência médica, em que há risco iminente de morte.
S - ubstituto	Não existe um substituto legal ou um documento detalhado sobre os desejos dos pacientes e não há tempo para obtenção desses.

Se responder positivamente a ambas as perguntas, o médico deve determinar se o tratamento emergencial deve ser instituído. Alguns médicos associam essa regra mnemônica a uma escala móvel para tomada de decisões, em que a decisão varia de acordo com os riscos e benefícios das circunstâncias clínicas. Existem procedimentos que apresentam muito benefício e baixo risco, outros com alto risco e benefício não claro. Sendo assim, sempre ponderar cada circunstância clínica e as recusas de cada paciente, para avaliarmos qual o real benefício do tratamento proposto para cada paciente.[4]

Em algumas situações, haverá contradições entre o que os médicos consideram benéfico para o paciente e o que este ou sua família gostariam que fosse realizado. Em momentos como esses, deve-se fazer a distinção entre terapia fútil ou mau aconselhamento, o que, muitas vezes, pode ser difícil de delinear.[4]

Para entender essa distinção, exemplificaremos com duas situações reais:

- Caso 1: Paciente homem, 71 anos, com Doença Pulmonar Obstrutiva Crônica Gold D, usuário de oxigênio domiciliar há 2 anos, múltiplas internações no último ano, caquético. Chega à sala de emergência em insuficiência respiratória, consciente e orientado, acompanhado da filha, com a qual reside. Ambos estão cansados de tantas internações e entendem a gravidade do caso.

- Caso 2: Paciente mulher, 32 anos, em quimioterapia paliativa por neoplasia de ovário avançada, dá entrada na emergência com vômitos incoercíveis por obstrução maligna pela carcinomatose peritoneal. Familiares e paciente se mostram ansiosos e aflitos pela possibilidade de cirurgia que poderia auxiliar no quadro atual.

Diante desses casos, primeiramente avalia-se a capacidade de decisão de ambos os pacientes, o entendimento dos riscos e benefícios e as alternativas de tratamento. Sendo assim, no caso 1, clinicamente o paciente está dispneico e a intubação orotraqueal poderia ser realizada, no entanto, sabe-se que as chances de sobrevivência a esse procedimento, com sua condição clínica atual, são mínimas. Ao explicar isso, são oferecidas outras opções, como ventilação não invasiva, controle medicamentoso dos sintomas, e discutidos os reais benefícios. Nessa situação, considera-se a intubação orotraqueal uma terapia fútil.

No outro caso, a paciente já se apresenta em cuidados paliativos não exclusivos, sem resposta ao tratamento proposto e com progressão clara de doença. Apesar disso, a família e a própria paciente não entendem o tratamento que está sendo realizado e solicitam procedimento invasivo. Em casos como esse, deve-se sempre tentar explicar as reais condições clínicas, a fim de que o mau aconselhamento possa ser revertido e nenhuma medida iatrogênica seja instituída. Se isto não for possível, a medida pode ser realizada, se houver condições clínicas para tal, mas deve-se sempre manter a comunicação para tentar resolver os conflitos.

Em países em que o testamento vital ou diretivas antecipadas de vontade são mais utilizados, existem passos propostos que se podem seguir na tomada de decisão, em situações de fim de vida após eventos agudos:

1. Determinar se o paciente está capaz de tomar decisões;
2. Identificar o substituto, caso o paciente não esteja capaz;
3. Utilizar os valores dos pacientes expressos nas diretivas antecipadas;
4. Determinar o entendimento do paciente ou do substituto sobre o evento como limitante à vida e os objetivos do tratamento a partir de então;
5. Transmitir o entendimento médico do evento: prognóstico, opções de tratamento e recomendações;
6. Compartilhar decisões em relação aos esforços na ressuscitação, utilizando recursos disponíveis e considerando opiniões para doação de órgãos;
7. Revisar os objetivos do tratamento quando necessário.[5]

Ao apresentar esses sete passos, percebe-se que alguns se assemelham aos propostos na regra mnemônica acima: o respeito aos valores dos pacientes e da sua autonomia para a tomada de decisões, baseado em esclarecimento médico adequado. Assim, o foco está na importância da boa comunicação com os pacientes sobre os diagnósticos, tratamentos e prognósticos das doenças.

Diante dessa importância, seguem alguns passos para auxiliar sistematicamente nessa comunicação no ambiente de pronto-socorro:

1. Criar um ambiente mais acolhedor para familiares e pacientes para comunicações, atentar para não falar ao corredor ou cercados de outros pacientes. Tente achar uma sala ou consultório. Apresente-se para a família;
2. Ouvir o que os familiares e pacientes têm para contar sobre o episódio atual e sobre o curso da doença até aqui. Compreender o entendimento que eles possuem da doença e de seu prognóstico;

3. Explicar sobre o quadro atual detalhadamente, tente não usar termos técnicos. Não hesite em responder às dúvidas de maneira clara;
4. Dar opções para os familiares. Lembre-se de que elas existem, pese os riscos e benefícios de cada procedimento, não faça tudo no automático;
5. Tomar decisões conjuntas, compartilhar a decisão tomada e resumir o que foi decidido. Sempre se mostrar disposto a novas conversas e mostrar que todas as decisões podem ser mudadas.

Além da necessidade de tomada de decisões nos quadros agudos, muitas vezes no pronto-socorro surge a necessidade de comunicar uma má notícia, principalmente o óbito de pacientes. Para essas situações, existem diversas técnicas que auxiliam os médicos, mas são conhecidas as dificuldades de um ambiente caótico como a emergência médica brasileira. Diante disso, propõe-se a seguinte reflexão nesse momento: ATENTE-SE à comunicação e procure seguir alguns passos sugeridos no Quadro 7.3.

◀ **Quadro 7.3**

	Alguns passos para atentar durante a comunicação de morte em pronto-socorro
A	Apresente-se e dirija a família a um ambiente acolhedor
T	Tente ouvir os familiares antes de falar
E	Entenda o que os familiares compreendem sobre o evento ocorrido
N	Não hesite em dizer a palavra Morte
T	Tente não demonstrar pressa ou ansiedade em sair dali
E	Escute as dúvidas e esclareça-as
- SE	Seja empático e se mostre disponível

Ao longo destas páginas, tentou-se auxiliar de maneira prática na tomada de decisões no ambiente da emergência, para propor, mesmo nas situações mais limítrofes, algumas estratégias de comunicação de más notícias, pois sabe-se que comunicações focadas no paciente, nas suas vontades e na sua maneira de encarar a vida levam a decisões compartilhadas e a desfechos menos traumáticos, tanto para a família quanto para a equipe de saúde.

Bibliografia

1. McCarthy DM et al. Emergency department team communication with the patient: the patient's perspective. The Journal of Emergency Medicine. 2013; 45(2): 262-270.
2. Flynn D. et al. Engaging patients in health care decisions in the emergency department though shared decision-making: a systematic review. Academic Emergency Medicine. 2012 Aug; 19(8):959-966.
3. McCarthy DM et al. Self- reported use of communication techniques in the emergency department. The Journal of Emergency Medicine. 2012; 43(5):355-361.
4. Grant VC, Matthew JC, Mark TH, Joseph A. CURVES: A mnemonic for determining medical decision-making capacity and providing emergency treatment in the acute setting. Chest. 2010 Feb; 137(2):421-427.
5. Limehouse WE, Feeser VR, Bookman KJ, Derse A. A model for ED end-of-life communications after acute devastating events. Academic Emergency Medicine. 2012 September; 19(9):1068-1072.

8

Oncologia

Daniel Fernandes Saragiotto
Henry Porta Hirschfeld
Marcelo Malandrino de Albuquerque Felizola

A comunicação em Oncologia é um dos principais pilares para o manejo adequado do paciente com câncer e de sua família. Por ser uma doença ainda rodeada de preconceitos e que gera muita ansiedade, o modo de transmitir as informações exige técnica apropriada para garantir que o que está sendo dito de fato está sendo compreendido, sem gerar ainda mais apreensão ou estresse.

No caso de más notícias isso se torna ainda mais importante. Existem várias técnicas de comunicação descritas, sendo uma das mais estudadas é o SPIKES (pormenorizado no capítulo 3 deste livro). Esse protocolo orienta organizar uma preparação inicial do ambiente e do paciente para o recebimento da má notícia (seja ela o diagnóstico do câncer, progressão da doença, recidiva ou mesmo fase final de vida), além de descrever passos na comunicação para que ela seja o mais efetiva possível.

Para comunicar adequadamente, o profissional tem que ter um bom entendimento sobre a doença, sua história natural, opções terapêuticas e prognóstico, já que não é incomum ele ser indagado pelo doente ou pelos familiares sobre "chance de cura" e "tempo de vida", por exemplo.

Parte fundamental da comunicação com os familiares e o paciente oncológico é orientar e esclarecer dúvidas sobre o tipo de tumor, extensão da doença, gravidade, possíveis tratamentos e prognóstico. O prognóstico para qualquer paciente oncológico depende do tipo de câncer, sua extensão, acometimentos a distância e resposta ao tratamento, seja por cirurgia, quimioterapia ou radioterapia.

A maior prevalência de câncer é na população mais idosa. Cerca de 60% dos casos novos de câncer ocorrem em pessoas com mais de 65 anos, e a probabilidade de uma pessoa de mais de 70 anos desenvolver câncer é de 37,8%. No Brasil, conforme dados do Instituto Nacional do Câncer (Inca), as neoplasias de mama, colorretal e colo de útero são as mais incidentes nas mulheres, e de próstata, pulmão e colorretal as de maior incidência nos homens (Figura 8.1). Assim, visando uma abordagem integral de cada paciente, além dos aspectos inerentes à própria neoplasia, outras variáveis como comorbidades e alterações fisiológicas do envelhecimento devem ser levadas em consideração para se definir a funcionalidade do paciente e a proporcionalidade de cada abordagem possível de ser adotada.

Nesse contexto, a Avaliação Geriátrica Ampla possui papel de destaque na abordagem do idoso com neoplasia. Sua aplicação é capaz de avaliar vários domínios (como comorbidades, cognição, dependência funcional e condições socioeconômicas), permitindo a proposta de condutas com impacto na saúde do paciente. É uma abordagem multidimensional, global e interdisciplinar que inclui aspectos que devem ser levados em consideração para escolha do tratamento mais adequado para cada paciente, estimando o seu prognóstico e agregando informações que são úteis na comunicação com o paciente e familiares. Determinar o estágio da evolução da doença e o prognóstico do paciente oncológico é uma tarefa difícil, por esse motivo existem ferramentas que auxiliam nessa tarefa.

Dentre as escalas mais utilizadas para avaliação de *performance status* destaca-se a de **Karnofsky** (Tabela 8.1), desenvolvida para pacientes com diagnóstico de câncer com o objetivo de documentar o declínio clínico do paciente. A maioria dos pacientes com pontuação inferior a 70% tem indicação de assistência de cuidados paliativos precoces, e pontuação inferior a 50% indica terminalidade (de uma maneira bem simplificada, pois há exceções, a depender do tipo de neoplasia).

Localização primária	Casos	%	Homens	Mulheres	Localização primária	Casos	%
Próstata	61.200	28,6			Mama feminina	57.960	28,1
Traqueia, brônquio e pulmão	17.330	8,1			Cólon e reto	17.620	8,6
Cólon e reto	16.600	7,8			Colo do útero	16.340	7,9
Estômago	12.920	6,0			Traqueia, brônquio e pulmão	10.890	5,3
Cavidade oral	11.140	5,2			Estômago	7.600	3,7
Esôfago	7.950	3,7			Corpo do útero	6.950	3,4
Bexiga	7.200	3,4			Ovário	6.150	3,0
Laringe	6.360	3,0			Glândula tireoide	5.870	2,9
Leucemias	5.540	2,6			Linfoma não Hodgkin	5.030	2,4
Sistema nervoso central	5.440	2,5			Sistema nervoso central	4.830	2,3

Figura 8.1. Estimativa de incidência de neoplasias (exceto câncer de pele não melanoma) para 2016 dividida por sexo.

◀ **Tabela 8.1.** Escala de Karnofsky

Escala de *performance* de Karnofsky	
100%	Sem sinais ou queixas, sem evidência de doença
90%	Mínimos sinais e sintomas, capaz de realizar suas atividades com esforço
80%	Sinais e sintomas maiores, realiza suas atividades com esforço
70%	Cuida de si mesmo, não é capaz de trabalhar
60%	Necessita de assistência ocasional, capaz de trabalhar
50%	Necessita de assistência considerável e cuidados médicos frequentes
40%	Necessita de cuidados médicos especiais
30%	Extremamente incapacitado, necessita de hospitalização, mas sem iminência de morte
20%	Muito doente, necessita de suporte
10%	Moribundo, morte iminente

Outra escala que propõe avaliação funcional é a escala de desempenho de **Zubrog (ECOG)** (Tabela 8.2), que é a mais utilizada pelos oncologistas para definir indicação ou não de tratamento oncológico ativo (seja com quimioterapia, radioterapia ou intervenção cirúrgica). Em linhas gerais, um paciente ECOG 0 ou 1 é potencial candidato ao melhor tratamento disponível. Quando em ECOG 2, deve-se ponderar o risco/benefício do tratamento proposto, bem como optar por uma quimioterapia menos tóxica. Já em ECOG 3 só é indicado tratamento oncológico em casos extremamente selecionados, como nos tumores muito quimiossensíveis (adenocarcinoma de ovário e carcinoma de pulmão de pequenas células, por exemplo), em que apenas um ciclo do tratamento pode acarretar melhora clínica com ganho de performance. Por fim, os paciente ECOG 4 são geralmente candidatos a cuidados paliativos exclusivos, e o tratamento oferecido deve ser apenas com esse intuito (salvo exceções, como pacientes portadores de neoplasias extremamente sensíveis à quimioterapia, como tumores germinativos e hematológicos virgens de tratamento).

◀ **Tabela 8.2.** ECOG

Escala de Performance status de Zubrod (ECOG)	
Ps0	Totalmente ativo; sem restrições funcionais
Ps1	Atividade física extenuante é restrita; deambula sem qualquer dificuldade e é capaz de realizar trabalho leve
Ps2	Capaz de se autocuidar, porém incapaz de qualquer atividade laboral. Capaz de manter-se em pé mais de 50% do tempo de vigília
Ps3	Capacidade limitada de autocuidados; confinado à cama ou à cadeira mais de 50% do tempo de vigília
Ps4	Completamente incapaz, não consegue se autocuidar, totalmente confinado à cama ou à cadeira
Ps5	Morte

A **Escala de Performance Paliativa (PPS)** (Tabela 8.3) também foi desenvolvida para doentes oncológicos e avalia a funcionalidadeassim como a condição clínica do paciente. Declínio do PPS de 70% para 60% sugere prognóstico de menos de seis meses de vida e pode ser usado como indicador para o início de cuidados paliativos; declínio de 40% para 30% representa necessidade de maior assistência domiciliar ou indicação de hospice; queda de 20% para 10% indica terminalidade.

Alguns profissionais apresentam dificuldades em comunicar de maneira clara más notícias, hesitando em divulgar informações sinceras acerca de prognósticos ruins. Porém, muitas vezes esses dados são fundamentais para o processo de entendimento e planejamento do paciente portador de uma neoplasia grave. Essa dificuldade em falar abertamente sobre notícias ruins pode estar baseada em conceitos inadequados e falsos medos, por exemplo:

- *Desencadear depressão*: Estudos mostram que mais de 90% dos pacientes desejam saber sobre seu prognóstico, e oferecer informações honestas não foi relacionado a maior incidência de depressão. Perguntar "O que você sabe sobre sua doença?" e "O que você gostaria de saber?" é uma maneira de deixar o paciente expressar sua vontade sobre a quantidade de informação que deseja ter sobre sua doença.

Tabela 8.3. Escala de Performance Paliativa (PPS)

%	Deambulação	Atividade e evidência da doença	Autocuidado	Ingesta	Nível de consciência
		Performance Scale (PPS)			
100	Completa	Atividade normal e trabalho, sem evidência de doença	Completo	Normal	Completo
90	Completa	Atividade normal e trabalho, alguma evidência de doença	Completo	Normal	Completo
80	Completa	Atividade normal com esforço, alguma evidência de doença	Completo	Normal ou reduzida	Completo
70	Reduzida	Incapaz para o trabalho, doença significativa	Completo	Normal ou reduzida	Completo
60	Reduzida	Incapaz para *hobbies*/trabalho doméstico, doença significativa	Assistência ocasional	Normal ou reduzida	Completo ou períodos de confusão
50	Maior parte do tempo sentado ou deitado	Incapacitado para qualquer trabalho, doença extensa	Assistência considerável	Normal ou reduzida	Completo ou períodos de confusão
40	Maior parte do tempo acamado	Incapaz para a maioria das atividades, doença extensa	Assistência quase completa	Normal ou reduzida	Completo ou sonolência, +/- confusão
30	Totalmente acamado	Incapaz para qualquer atividade, doença extensa	Dependência completa	Normal ou reduzida	Completo ou sonolência, +/- confusão
20	Totalmente acamado	Incapaz para qualquer atividade, doença extensa	Dependência completa	Mínima a pequenos goles	Completo ou sonolência, +/- confusão
10	Totalmente acamado	Incapaz para qualquer atividade, doença extensa	Dependência completa	Cuidados com a boca	Sonolência ou coma, +/- confusão
0	Morte	–	–	–	–

- *Tirar a esperança*: Há evidência de que uma comunicação sincera não interfere na esperança do paciente ou de seus familiares. Esse aspecto é muito particular de cada indivíduo.
- *Manter o paciente em cuidados paliativos pode reduzir sobrevida*: Múltiplos estudos sugerem que a sobrevida é igual ou até maior em pacientes oncológicos que foram submetidos a cuidados paliativos, já que controlam melhor os seus sintomas, aumentando a qualidade de vida.
- *Não saber com precisão o prognóstico do paciente*: Nem todos os pacientes têm interesse em saber seu prognóstico, porém quando esse assunto surge é importante que a equipe médica esteja pronta para conversar abertamente. Por mais que não seja possível prever exatamente quanto tempo o paciente vai viver, é possível realizar uma estimativa baseada nas escalas e nos dados da literatura. Essa informação por vezes influenciará nas escolhas e prioridades que o doente tem e no planejamento de pendências ou desejos.

Além dos aspectos técnicos relacionados às possibilidades terapêuticas, a vontade do paciente deve sempre ser valorizada. As decisões devem ser realizadas de maneira compartilhada após adequada comunicação dos profissionais em saúde sobre todos os aspectos da doença, possível evolução e diferentes intervenções que possam ser realizadas. A autonomia é um preceito da bioética que precisa sempre ser respeitado (maiores detalhes sobre os preceitos éticos envolvidos em uma adequada comunicação foram abordados no capítulo 2 deste livro).

Assim que possível, deve ser discutido com o paciente sobre sua doença e realizadas suas diretivas antecipadas de vontade, que têm como objetivo dispor acerca dos cuidados, tratamentos e procedimentos a que o paciente deseja ou não ser submetido. É recomendável também orientar o paciente a nomear uma pessoa de confiança, que deverá ser consultada quando alguma decisão sobre os cuidados médicos for necessária e o paciente estiver impossibilitado de manifestar-se livremente.

Em oncologia, é muito comum a realização de reuniões familiares para esclarecimentos, que podem ser feitas na presença ou não do paciente. Como a doença neoplásica é por vezes imprevisível, pode haver mudanças repentinas de tratamento ou na proporção de instituição de medidas invasivas em doentes que estavam relativamente bem, mas que, subitamente, apresentam uma piora aguda. O importante é estar sempre aberto ao diálogo e transmitir todas as informações de modo claro, evitando-se assim mal-entendidos e atritos.

Do mesmo modo, a equipe multiprofissional é essencial para o bom atendimento do paciente e sua família. Por ser uma doença com grande carga emocional, ter à disposição uma equipe de psicologia hospitalar ajuda em momentos difíceis pelos quais o doente possa estar passando, ou pode dar alento a um familiar mais abalado. A equipe de enfermagem, principalmente nas internações hospitalares, em que o cuidado e o contato com o doente são mais intensos, também deve estar capacitada e sintonizada com a equipe médica para poder dar suporte e contornar eventuais conflitos, sem fornecer informações destoantes que possam confundir ainda mais o paciente ou sua família. Outros profissionais, como fisioterapeutas, nutricionistas e assistentes sociais, também têm papel muito importante no cuidado do paciente. A troca de informações entre os médicos e toda a equipe multidisciplinar deve ser estimulada, facilitando a resolução de problemas que venham a afligir o doente.

Como a comunicação em pacientes oncológicos pode ser complexa, é comum surgirem conflitos. Alguns exemplos frequentes de conflitos entre familiares e equipe médica são:

- *Divergências entre a melhor conduta a ser adotada*: por exemplo, os familiares preferirem instituir medidas invasivas para prolongamento da vida em paciente em fase terminal, enquanto a equipe médica acredita que uma abordagem menos invasiva garantiria a ele mais dignidade e menos sofrimento.
- *Dificuldades e divergências em interpretar quais seriam as vontades do paciente*: é comum que logo na primeira consulta algum familiar já deixe claro que não quer que o doente saiba da gravidade ou até mesmo do diagnóstico. Isso atrapalha a relação médico-paciente na medida em que, se o paciente não

estiver compreendendo o tratamento proposto, pode não haver aderência ou gerar mais sofrimento.
- Familiares não acreditarem no prognóstico ruim dado pelo médico.
- Familiares acharem que a equipe médica não está agindo visando os interesses do paciente.

A melhor maneira de evitar e resolver esses possíveis conflitos é manter diálogo sincero, claro e objetivo com os familiares. Alguns passos que podem ser seguidos para garantir essa boa comunicação em momentos difíceis já foram abordados em outros momentos deste livro, mas cabe ressaltar algumas orientações:
- Evitar iniciar o diálogo irritado ou com preconceito em relação aos pensamentos dos familiares. É preciso lembrar que há diferentes graus de conhecimento e compreensão entre os indivíduos, além de diversas religiões e crenças. Faz parte da habilidade do médico ter empatia e conseguir contornar as dificuldades que surgirão durante as conversas.
- Conhecer bem a história do paciente, incluindo seu contexto socioeconômico e suas vontades.
- Explicar de maneira didática, simples e com linguagem compatível com o entendimento dos ouvintes.
- Não apenas tentar convencer os familiares, mas tentar entender por que eles apresentam um ponto de vista particular.
- Prestar completa atenção quando os familiares estiverem falando e fornecer *feedback* para garantir que suas opiniões estão sendo ouvidas e entendidas.
- Levar em consideração não apenas as evidências médicas, mas também os valores e emoções do paciente e familiares.

Como conclusão, devemos estar cientes de que a comunicação entre médico, paciente e família é algo difícil, mas extremamente importante na prática da medicina, independentemente da área. Na oncologia, talvez isso seja mais evidente, por razões que envolvem tanto o estigma da doença para o paciente e famíliaquanto a grande ocorrência de situações de estresse, como procedimentos de risco e o enfrentamento da terminalidade da vida.

A comunicação é algo que deve ser encarado como disciplina fundamental no ensino médico, seja na graduação nas escolas médicas, seja na formação do especialista dentro de um programa de Residência Médica. Infelizmente, sabemos que isso não é algo universal em nosso meio, o que se reflete em situações de conflito que diariamente são vistas nos hospitais, frutos da má relação médico-paciente-família. Este é um tópico que deve ser debatido, estudado e treinado por profissionais de saúde, assim como uma técnica cirúrgica ou uma sequência de atendimento a uma emergência clínica. Há vasta e crescente literatura a respeito que merece ser explorada. Devemos, obviamente, associar o estudo teórico dessa área com o aprendizado prático e com a vivência que pode ser passada por colegas médicos mais experientes, como numa relação tutor-aprendiz de um ofício. A melhor comunicação, sem dúvida, é uma ferramenta que aproxima o médico e a medicina do paciente, agindo em prol de ambos.

Bibliografia

1. Back AL, Arnold RM. Dealing with conflict in caring for the seriously ill: "it was just out of the question". JAMA. 2005 March 16;293(11):1374-81.
2. Cox A, Jenkins V, Catt S, et al. Information needs and experiences: an audit of UK cancer patients. Eur J Oncol Nurs 2006; 10:263.
3. Jenkins V, Fallowfield L, Saul J. Information needs of patients with cancer: results from a large study in UK cancer centres. Br J Cancer 2001; 84:48.
4. Mack JW, Smith, TJ. Reasons why physicians do not have discussions about poor prognosis, why it matters, and what can be improved. Journal of Clinical Oncology. 2012 Aug 30;22:2715-2717.
5. Ptacek JT, Eberhardt TL. Breaking bad news. A review of the literature. JAMA 1996; 276:496.

9

Comunicação na Morte Encefálica e Processo de Doação-Transplante de Órgãos

Bartira de Aguiar Roza
Alessandra Duarte Santiago
Lucas Guimarães Machado dos Santos

Introdução

Uma das situações mais complexas para um médico intensivista é a comunicação da morte encefálica e a possibilidade de doação de órgãos. Apesar de o diagnóstico de ME estar intimamente ligado à doação de órgãos, devemos ter o cuidado e o discernimento para não cair em conflitos éticos/bioéticos. Essa é uma das poucas situações dentro da área médica em que uma má notícia pode mostrar algum benefício altruísta às famílias, existindo diversos conceitos éticos que justificam a oferta da possibilidade de doação de órgãos, dentre eles o conhecimento de que muitas famílias referem que a doação de órgãos os ajudou a lidar com a morte e o luto por um ente querido.

Sob o mesmo conceito de doação de órgãos, ainda há outra possibilidade na comunicação de más notícias: a doação com doador vivo. Para esse tipo de situação, mesmo que a morte de alguém não seja pré-requisito para a doação de órgãos, trata-se de duas pessoas em risco cirúrgico, em que uma delas será beneficiada com um órgão e a outra terá confrontada a sua vontade de ajudar com o seu instinto pela própria vida.

Neste capítulo, será abordada apenas a comunicação referente aos familiares de pacientes em morte encefálica, com possibilidade de doação de órgãos.

O profissional médico, ao se deparar com um paciente neurologicamente grave, que se enquadre em todos os critérios para a abertura do protocolo de ME, não o deve fazer pensando somente na possível doação de órgãos, pois trata-se de um diagnóstico e não de uma sentença de doação. E se assim o fizesse, a família deveria ser consultada antes da abertura desse protocolo a respeito da intenção de doar ou não os órgãos de seu ente neurologicamente grave. Este seria um conflito ético inquestionável, pois só é permitido questionar a família sobre a intencionalidade da doação após a confirmação da ME.

Atualmente, temos cerca de 33.400 pacientes ativos no cadastro técnico aguardando um transplante. Fornecer às famílias o direito de tomar uma decisão altruísta, e que seu sofrimento seja capaz de ter um impacto significativo na vida de outras pessoas através da possibilidade de doação de órgãos, pode trazer conforto àqueles que perderam um ente querido. Para que esse processo seja possível, é fundamental que a equipe que assiste o paciente tenha completa compreensão desse processo.

Pesquisas recentes sugerem que maiores taxas de consentimento são consequência de melhores práticas de consentimento, reuniões com familiares de doadores e não doadores que têm um entendimento melhorado do processo. As evidências sugerem que as maiores taxas de consentimento ocorrem quando o processo de entrevista do potencial doador é dissociado da discussão sobre o óbito e morte encefálica; quando o pedido de doação é realizado por uma pessoa especialmente treinada nessas habilidades; e quando a equipe da Unidade de Tratamento Intensivo (UTI) e a equipe da Organização de Procura de Órgãos apoiam e coordenam seus esforços.

No decorrer do processo de abertura do protocolo de ME e possível doação de órgãos, notam-se vários protagonistas:

Os médicos intensivistas ou médicos que atuam na emergência desempenham um papel preponderante, são responsáveis pela identificação do paciente com critérios de abertura do protocolo de ME, por iniciar os exames clínicos, realizar a manutenção do potencial doador e notificar a CIHT ou a OPO sobre a abertura do protocolo de ME; além de manter a família ciente sobre a evolução do paciente e informar o óbito aos familiares.

Os profissionais que atuam na OPO ou na CIHT, ao identificar o possível doador nas unidades de cuidados críticos durante a busca ativa ou ao receber a comunicação da abertura do protocolo de morte encefálica, acompanham o caso, auxiliando a equipe assistencial quanto à realização do protocolo de ME, revisam o prontuário do potencial doador, conversam com os profissionais envolvidos no tratamento e notificam o caso à CNCDO. Além disso, acompanham o cumprimento de todas as orientações da Resolução nº 2.173/17 do Conselho Federal de Medicina quanto à realização correta dos exames clínicos e complementares que constatam a morte encefálica, assegurando que todas as exigências legais foram cumpridas, o que é válido para todos os pacientes com suspeita de morte encefálica, independentemente da possibilidade de doação de órgãos.

O objetivo deste capítulo é auxiliar o médico generalista na comunicação da morte encefálica e na compreensão do processo de doação de órgãos para otimizar a relação entre equipes médicas e os familiares.

Diagnóstico de Morte Encefálica

O conceito de morte encefálica surgiu em 1959 com Mollaret e Goulon, sendo definido como um estado de coma profundo de causa primária cerebral e sem chance de recuperação. Em 1968, o Ad Hoc Committee of Harvard Medical School descreveu as características do estado de coma irreversível e argumentou para o reconhecimento desse estado como a nova definição de morte, isto é, morte encefálica. Desde então, uma grande variabilidade na determinação da morte encefálica tem sido observada no contexto internacional. No Brasil, mediante a Resolução do Conselho Federal de Medicina de nº1.480 de 8 de agosto de 1997, foi estabelecido um documento oficial denominado Termo de Declaração de Morte Encefálica. Porém, mediante tamanho avanço tecnológico e melhor entendimento do processo de ME nesses 20 anos de aplicabilidade brasileira, se fez necessária uma revisão da referida resolução e, atualmente, os protocolos de Morte Encefálica são baseados na Resolucão 2.173 de 17 de dezembro de 2017.

Define-se morte encefálica como um estado de coma aperceptivo, arreativo, de causa determinada, cujo processo seja irreversível. O paciente não tem percepção de si nem do meio ao seu redor. Há ausência de reatividade supraespinhal, ou seja, ausência de reflexos do tronco encefálico e ausência de padrões motores supraespinhais (postura de decorticação ou postura de descerebração).

O diagnóstico de morte encefálica deve respeitar todas as orientações da Resolução nº 2.173/17 do Conselho Federal de Medicina (Quadro 9.1), para todos os pacientes com suspeita de morte encefálica, independentemente da possibilidade de doação de órgãos. Deve ser iniciado logo após a constatação do Glasgow 3, identificação da causa de coma, ausência de reflexos de tronco encefálico e apneia, excluindo condições que mimetizem a situação de coma, como hipotermia severa, vigência da ação de drogas depressoras do sistema nervoso central, todas tratáveis e reversíveis.

◀ **Quadro 9.1** – Resolução do Conselho Federal de Medicina – CFM n°2.173/17, que dispõe sobre os seguintes critérios para a constatação da ME

- **Art. 1°** *Os procedimentos para determinação de morte encefálica (ME) devem ser iniciados em todos os pacientes que apresentem coma não perceptivo, ausência de reatividade supraespinhal e apneia persistente, e que atendam a todos os seguintes pré-requisitos:*
    a. *presença de lesão encefálica de causa conhecida, irreversível e capaz de causar morte encefálica;*
    b. *ausência de fatores tratáveis que possam confundir o diagnóstico de morte encefálica;*
    c. *tratamento e observação em hospital pelo período mínimo de seis horas. Quando a causa primária do quadro for encefalopatia hipóxico-isquêmica, esse período de tratamento e observação deverá ser de, no mínimo, 24 horas;*

continua

continuação

> d. *temperatura corporal (esofagiana, vesical ou retal) superior a 35 °C, saturação arterial de oxigênio acima de 94% e pressão arterial sistólica maior ou igual a 100 mmHg ou pressão arterial média maior ou igual a 65 mmHg para adultos.*
>
> - **Art. 2°** *É obrigatória a realização mínima dos seguintes procedimentos para determinação da morte encefálica:*
>
>   a. *dois exames clínicos que confirmem coma não perceptivo e ausência de função do tronco encefálico;*
>
>   b. *teste de apneia que confirme ausência de movimentos respiratórios após estimulação.*
>
> - **Art. 3°** *O exame clínico deve demonstrar de forma inequívoca a existência das seguintes condições:*
>
>   a. *coma não perceptivo;*
>
>   b. *ausência de reatividade supraespinhal manifestada pela ausência dos reflexos fotomotor, córneo-palpebral, oculocefálico, vestíbulo-calórico e de tosse.*
>
> - *§ 1° Serão realizados dois exames clínicos, cada um deles por um médico diferente, especificamente capacitado a realizar esses procedimentos para a determinação de morte encefálica.*
>
> - *§ 2° Serão considerados especificamente capacitados médicos com no mínimo um ano de experiência no atendimento de pacientes em coma e que tenham acompanhado ou realizado pelo menos dez determinações de ME ou curso de capacitação para determinação de ME, conforme anexo III desta Resolução.*
>
> - *§ 3° Um dos médicos especificamente capacitados deverá ser especialista em uma das seguintes especialidades: medicina intensiva, medicina intensiva pediátrica, neurologia, neurologia pediátrica, neurocirurgia ou medicina de emergência. Na indisponibilidade de qualquer um dos especialistas anteriormente citados, o procedimento deverá ser concluído por outro médico especificamente capacitado.*
>
> - *§ 4° Em crianças com menos de 2 (dois) anos, o intervalo mínimo de tempo entre os dois exames clínicos variará conforme a faixa etária: dos sete dias completos (recém-nato a termo) até dois meses incompletos, será de 24 horas; de dois a 24 meses incompletos, será de doze*

continua

continuação

> horas. Acima de 2 (dois) anos de idade, o intervalo mínimo será de 1 (uma) hora.
>
> - **Art. 4°** O teste de apneia deverá ser realizado uma única vez por um dos médicos responsáveis pelo exame clínico e deverá comprovar ausência de movimentos respiratórios na presença de hipercapnia ($PaCO_2$ superior a 55 mmHg).
> - <u>Parágrafo único.</u> Nas situações clínicas que cursam com ausência de movimentos respiratórios de causas extracranianas ou farmacológicas, é vedada a realização do teste de apneia até a reversão da situação.
> - **Art. 5°** O exame complementar deve comprovar, de forma inequívoca, uma das condições:
>   a. ausência de perfusão sanguínea encefálica ou
>   b. ausência de atividade metabólica encefálica ou
>   c. ausência de atividade elétrica encefálica.
> - <u>§ 1°</u> A escolha do exame complementar levará em consideração situação clínica e disponibilidades locais.
> - <u>§ 2°</u> Na realização do exame complementar escolhido, deverá ser utilizada a metodologia específica para determinação de morte encefálica.
> - <u>§ 3°</u> O laudo do exame complementar deverá ser elaborado e assinado por médico especialista no método em situações de morte encefálica.
> - **Art. 6°** Na presença de alterações morfológicas ou orgânicas, congênitas ou adquiridas, que impossibilitem a avaliação bilateral dos reflexos fotomotor, córneo-palpebral, oculocefálico ou vestíbulo-calórico, sendo possível o exame em um dos lados e constatada ausência de reflexos do lado sem alterações morfológicas, orgânicas, congênitas ou adquiridas, dar-se-á prosseguimento às demais etapas para determinação de morte encefálica.
> - <u>Parágrafo único.</u> A causa dessa impossibilidade deverá ser fundamentada no prontuário.
> - **Art. 7°** As conclusões do exame clínico e o resultado do exame complementar deverão ser registrados pelos médicos examinadores no Termo de Declaração de Morte Encefálica e no prontuário do paciente ao final de cada etapa.

continua

continuação

> - **Art. 8°** O médico-assistente do paciente ou seu substituto deverá esclarecer aos familiares do paciente sobre o processo de diagnóstico de ME e os resultados de cada etapa, registrando no prontuário do paciente essas comunicações.
> - **Art. 9°** Os médicos que determinaram o diagnóstico de ME ou médicos-assistentes ou seus substitutos deverão preencher a DECLARAÇÃO DE ÓBITO, definindo como data e hora da morte aquela que corresponde ao momento da conclusão do último procedimento para determinação da ME.
> - <u>Parágrafo único.</u> Nos casos de morte por causas externas, a DECLARAÇÃO DE ÓBITO será de responsabilidade do médico legista, que deverá receber o relatório de encaminhamento médico e uma cópia do TERMO DE DECLARAÇÃO DE MORTE ENCEFÁLICA.
> - **Art. 10°** A direção técnica do hospital onde ocorrerá a determinação de ME deverá indicar os médicos especificamente capacitados para realização dos exames clínicos e complementares.
> - <u>§ 1°</u> Nenhum desses médicos poderá participar de equipe de remoção e transplante, conforme estabelecido no art. 3° da Lei n° 9.434/1997 e no Código de Ética Médica.
> - <u>§ 2°</u> Essas indicações e suas atualizações deverão ser encaminhadas para a Central Estadual de Transplantes (CET).

Antes de iniciar, a equipe médica deve comunicar à família sobre os procedimentos/exames que serão realizados. A família tem o direito de acompanhar todas as etapas da determinação da ME, bem como de eleger um profissional da saúde de inteira confiança para estar junto à realização dos exames clínicos e do exame complementar para constatação da ME.

As condições necessárias para a realização dos exames clínicos são: causa do coma conhecida e confirmada; ausência da ação drogas depressoras do sistema nervoso central; estabilidade hemodinâmica; limpeza brônquica adequada, pois esta interfere na realização de etapas da avaliação clínica; alterações metabólicas e ausência de hipotermia, considera-se a temperatura acima de 35 graus ideal para a realização dos testes, pois valores inferiores comprometem o fluxo sanguíneo cerebral, podendo haver perda da autorregulação cerebral, reflexo fotomotor e abolição dos reflexos tendíneos.

O Conselho Federal de Medicina orienta a realização de duas avaliações clínicas para o diagnóstico de morte encefálica. A repetição do exame clínico varia com a idade do paciente: entre 7 dias e 2 meses incompletos, 24 horas; entre 2 meses e 2 anos incompletos, 12 horas; acima de 2 anos, o intervalo dos exames clínicos é de 1 hora.

A avaliação dos reflexos do tronco encefálico obedece a uma sequência craniocaudal, sendo avaliados o mesencéfalo, a ponte e o bulbo sequencialmente. Alguns reflexos apresentam integração em um único segmento do tronco encefálico, enquanto em outros essa interação se faz em dois segmentos (Tabela 9.1).

O exame utilizado para a constatação da ausência de atividade elétrica cerebral é o eletroencefalograma (EEG). Já os exames utilizados para a comprovação de ausência de circulação sanguínea intracraniana são: angiografia, cintilografia radioisotópica, doppler transcraniano, monitorização da pressão intracraniana, tomografia computadorizada com xenônio e SPECT. Já os utilizados para a verificação de ausência metabólica cerebral são: PET e extração cerebral de oxigênio.

A data e a hora registradas na declaração de óbito são as mesmas da determinação da morte encefálica. E a interrupção do suporte de vida nos pacientes não doadores de órgãos é legal e ética segundo a Resolução 2.173 do Conselho Federal de Medicina. O prolongamento do suporte de vida causa desgaste emocional e desperdício de recursos sem justificativa. O médico não é obrigado a ter anuência da família para essa ação, mas deve tentar respeitar as diversas posições e evitar conflitos desnecessários.

● Tabela 9.1. Exame neurológico dos pares cranianos na morte encefálica

Teste		Resposta
Reflexo Fotomotor	Define-se como capacidade contrátil pupilar a modificação em 1 mm no diâmetro da pupila	Médio ou dilatado e fixo (4 a 9 mm).
Reflexo Corneano	Utilize algodão para realização deste teste, estimulando a córnea	Abolição do reflexo de piscar bilateral.
Reflexo Oculocefálico	É realizado movimento de rotação lateral para ambos os lados, assim como movimento de flexão e extensão da cabeça	Ausência de movimentação dos olhos com a movimentação da cabeça.
Reflexo Oculovestibular	Após avaliação do meato auditivo externo por meio de otoscopia, eleva-se a cabeceira da cama a 30° com a cabeça neutra (esta manobra neutraliza o sistema vestibular). Instilar 50 mL NaCl 0,9% próximo de 0 °C através de seringa ou equipo de soro lentamente em cada meato auditivo externo	Ausência de movimentação ocular após a instilação de água gelada na membrana timpânica íntegra bilateral (Intervalo de 5 minutos entre os lados).
Reflexo de Tosse	Não devemos realizar este reflexo tracionando a via aérea definitiva, pois podemos deslocar o tubo traqueal e prejudicar a ventilação do paciente. Utilize uma sonda estéril de aspiração traqueal para estimular a traqueia.	Tosse ausente.
-Teste da Apneia	pré-oxigenar o paciente por 10 minutos com uma FIO_2 a 100% no ventilador mecânico. Após, desconecte o ventilador e insira na cânula traqueal um cateter de O_2 com um fluxo de 6 L/min durante 10 minutos. A cada minuto estima-se que a $PaCO_2$ se eleve 2-4 mm Hg. Observe a ausência de movimentos respiratórios durante o teste da apneia por meio da inspeção e ausculta torácica.	Caso não se observem movimentos espontâneos durante 10 minutos ou não haja incursão ventilatória a uma $PaCO_2$ 55 mmHg, o teste é considerado positivo.

Comunicação da Morte Encefálica

A qualidade da conversa com os familiares pode ser melhorada significativamente pela preparação, bem como pelo treinamento e produção de condições apropriadas. Isso requer conhecimento sobre o paciente, seus familiares, seu contexto cultural e religioso, dados médicos e achados de exames.

A equipe deve ser capaz de fornecer uma explicação clara sobre a morte encefálica, de um ponto de vista tanto teórico como prático, bem como responder satisfatoriamente todas as possíveis questões relacionadas a morte encefálica. Sem o conhecimento desses fatos não é possível comunicar de maneira eficaz óbito do familiar, tampouco abrir espaço para uma conversa posterior sobre doação de órgãos.

É fundamental que, durante uma reunião, sejam demonstradas empatia e abertura às dúvidas e reações que os familiares porventura apresentarem, apoiando-os emocionalmente de maneira autêntica. Uma das formas é entender o papel daquele indivíduo dentro da família, sendo possível utilizar-se de termos descritores de sua relação ("seu pai", "sua filha" etc.) em vez do nome do paciente (Quadro 9.2).

Somente após os familiares terem aceitado as notícias sobre o óbito do paciente, o que deve ser reconhecido tanto por sua linguagem verbal como não verbal, a equipe deve considerar a conversa sobre a doação de órgãos.

◀ **Quadro 9.2.** Questões comuns a serem respondidas em uma reunião familiar

- Presença de batimentos cardíacos? (100%)
- Ele/ela realmente morreu? (65,63%)
- Medo da integridade/imagem do corpo (59,38%)
- As mãos se moveram (50%)
- Ele/a pode acordar do coma? (46,88%)
- Insatisfação com médicos e hospital (43,75%)
- Está em um coma? (21,88%)
- Deitado/a como se estivesse dormindo (21,88%)
- Recusa a doação presumida em vida (6,25%)

Comunicação da Doação de Órgãos

O modelo que separa a discussão sobre a morte encefálica e o processo de doação possui evidência de maiores taxas de doação (ver Quadro 9.3).

Esse modelo explica separadamente o prognóstico ruim do paciente, devido à irreversibilidade do quadro neurológico grave previamente estabelecido e, posteriormente, dá a possibilidade de doação de órgãos para a família, tendo um efeito significativamente positivo na satisfação familiar e na taxa de consentimento para doação. Quando não esteve presente, as taxas de doação reduziram entre 32% e 37%.

Para isso é necessário equipe treinada para fazer a solicitação da autorização da doação de órgãos, parcialmente devido ao fato de que boa parte da equipe hospitalar que cuida de potenciais doadores e suas famílias não é familiarizada com elas, não é confortável ou não possui treinamento suficiente nas habilidades necessárias para apresentar as opções de doação de órgãos e tecidos às famílias.

A experiência da família afeta significativamente as decisões quanto à doação. Famílias não doadoras, quando comparadas com as famílias que concordaram com a doação, geralmente

◀ **Quadro 9.3.** Sugestões de práticas na discussão da doação de órgãos com as famílias

- Focar nos processos de cuidado das famílias de todos os potenciais doadores, de acordo com princípios de cuidado de fim de vida
- Dissociar as discussões entre morte encefálica e o pedido da doação de órgãos
- Dar às famílias tempo para compreender a morte encefálica antes de discutir a doação de órgãos
- Oferecer a opção de doação de órgãos a todas as famílias
- Realizar o pedido da doação num contexto particular
- Envolver um profissional da OPO ou CIHT qualificado no processo de consentimento
- Coordenar os esforços da equipe de UTI e da OPO
- Fornecer treinamento especial a todas as pessoas que solicitam autorização a doação de órgãos

estão menos satisfeitas com a qualidade do cuidado recebido enquanto no hospital, possuem menor compreensão do conceito de morte encefálica e em sua maioria acreditam que o paciente pode se recuperar. Também estão menos satisfeitas com o próprio processo de solicitação da doação, acreditando que tiveram menos tempo e privacidade para tomar uma decisão, além de perceberem que o profissional responsável por realizar essa abordagem não foi sensível a suas necessidades. A identificação precoce de potenciais doadores pode possibilitar que a equipe passe mais tempo com a família do doador, seja capaz de familiarizar-se com seu ente querido, confortando e apoiando a família nesse momento difícil.

As solicitações de autorização de doação foram 2,5 vezes mais bem sucedidas quando:
 a. Foram realizadas em um contexto privado;
 b. Permitiram à família compreender a morte (particularmente a morte encefálica) antes da discussão da doação de órgãos;
 c. Envolveram um profissional da OPO ou CIHT qualificado no processo de consentimento.

Porém, menos de 30% das doações de órgãos incluíram esses três critérios.

Portanto, algumas sugestões práticas para a abordagem familiar devem ser levadas em consideração. O foco da entrevista familiar deve ser sempre o cuidado e apoio à família, acolhendo-a e sendo condizentes com os cuidados de fim de vida prestados pela equipe. A abordagem para informar o diagnóstico de ME para a família, preferencialmente, deve ser separada da abordagem sobre doação de órgãos, permitindo que a família tenha tempo suficiente para compreender a morte encefálica e passe pelas fases mais críticas do luto sem que se sinta pressionada. A possibilidade de doação de órgãos deve ser ofertada a todos os familiares que queiram estar presentes na entrevista familiar, em local privado e por meio de profissional qualificado para essa função (OPO ou CIHT), nunca sendo realizada quando houver dúvidas ou negação do diagnóstico de ME.

Bibliografia

1. A definition of irreversible coma. Report of the Ad Hoc Committee of the Harvard Medical School to Examine the Definition of Brain Death. JAMA. 1968 Aug 5;205(6):337-40.

2. Associação Brasileira de Transplante de Órgãos. São Paulo (SP): ABTO; 2015.
3. Associação de Medicina Intensiva Brasileira (Amib). Diretrizes para manutenção de múltiplos órgãos no potencial doador adulto falecido. São Paulo: Amib, 2011
4. Brasil. Decreto nº. 2.268 de 30 de junho de 1997. Regulamenta a Lei nº. 9.434 de 4 de fevereiro de 1997. Diário Oficial da União, Poder Executivo, Brasília (1997 jul 1); Sec 1:13739.
5. Brasil. Lei nº. 9.434 de fevereiro de 1997. Dispõe sobre a remoção de órgãos, tecidos e partes do corpo humano para fins de transplante, e dá outras providências. Diário Oficial da União, Poder Executivo, Brasília (1997 fev 5); Sec 1:2191-3.
6. Brasil. Portaria nº. 2.600 de 21 de outubro de 2009. Aprova o Regulamento Técnico do Sistema Nacional de Transplantes. Diário Oficial da União, Poder Executivo, Brasília (2009 out. 30), Sec 1:77-118.
7. Busl KM, Greer DM. Pitfalls in the diagnosis of brain death. Neurocrit Care. 2009;11(2):276-87.
8. Conselho Federal de Medicina. Suspensão de suporte terapêutico na determinação de morte encefálica 1.826. Sect. Diário Oficial da União; Poder Executivo, 6 dez. 2007. Brasília, DF, Seção I, p. 133 (2007).
9. Diretrizes Básicas para Captação e Retirada de Múltiplos Órgãos e Tecidos da Associação Brasileira de Transplante de Órgãos / [coordenação executiva Roni de Carvalho Fernandes, Wangles de Vasconcelos Soler; coordenação geral Walter Antonio Pereira]. São Paulo: ABTO- Associação Brasileira de Transplante de Órgãos, 2009.
10. Goudreau JL, Wijdicks EF, Emery SF. Complications during apnea testing in the determination of brain death: predisposing factors. Neurology. 2000 Oct 10; 55(7):1045-8.
11. Kelso CM, Lyckholm LJ, Coyne PJ, Smith TJ. Palliative Care Consultation in the Process of Organ Donation after Cardiac Death *. 2007;10(1):118–26.
12. Molllaret P, Goulon M. [The depassed coma (preliminary memoir).]. Rev Neurol (Paris). 1959 Jul; 101:3-15.
13. Nothen RR. A doação de órgãos no cenário da unidade de terapia intensiva. In: AMIB - Associação de Medicina. Programa de Atualização em Medicina Intensiva. Porto Alegre: Artmed/Pan-americana. 2004.
14. Resolução CFM nº 1.480. Critérios do diagnóstico de morte encefálica. In: Conselho Federal de Medicina. Diário Oficial da União, Poder Executivo, Brasília (1997 ago. 21), Sec 1:18.227-1997
15. Roza BA, Garcia VD, Barbosa SFde F, Mendes KD, Schirmer J. Doação de órgãos e tecidos: relação com o corpo em nossa sociedade. Acta Paul. Enferm. 2010; 23(3):417-22.
16. Saunders C. [Providing support to relatives of organ donors in the intensive care unit]. 2014;418–21.
17. Secretaria de Estado da Saúde de São Paulo. (SP). Coordenação do Sistema Estadual de Transplante. Doação de órgãos e tecidos. São Paulo (SP): SES; 2002.
18. Smith M. Physiologic changes during brain stem death – lessons for management of the organ donor. J Heart Lung Transplant 2004;23: S217–222
19. Westphal GA, Caldeira Filho M, Vieira KD, Zaclikevis VR, Bartz MCM, Wanzuita R et al. Diretrizes para manutenção de múltiplos órgãos no potencial doador

adulto falecido. Parte I – Aspectos gerais e suporte hemodinâmico. Rev Bras Ter Intensiva 2011; 23(3):255-268.
20. Wijdicks EF. The diagnosis of brain death. N Engl J Med. 2001 Apr 19;344(16):1215-21.
21. Williams MA, Lipsett PA, Rushton CH, Grochowski EC, Berkowitz ID, Mann SL, et al. The physician's role in discussing organ donation with families*. 2003;31(5).

10

Doenças Neurológicas

Cybelle Maria da Costa Diniz
Franciellen Bruschi Almonfrey
Fabiano Abrantes

Introdução

Comunicar más notícias constitui um ato médico globalmente compreendido como informar um diagnóstico com mau prognóstico ou desfecho terminal. No entanto, para a maioria dos pacientes, o diagnóstico de uma condição que afeta a funcionalidade e independência de modo permanente é tão ruim quanto. Esclerose múltipla (ELA), doença de Alzheimer (DA) e outras desordens neurodegenerativas são exemplos de tais condições. Assim, para os médicos que lidam com doenças, em sua maioria, incuráveis, progressivas e que resultam em limitações físicas ou cognitivas, os desafios no processo de comunicação são ainda mais especiais.[1]

Literatura específica sobre o tema é escassa e da autoria de outras especialidades. Há, no entanto, algumas publicações referentes às doenças neurológicas. McCluskey et al.[2] citam que 30% dos pacientes com ELA avaliaram a qualidade da comunicação do diagnóstico como média e 25% como abaixo da média.[2] Uma revisão em acometidos por lesão medular enfatiza a necessidade de se encontrar um momento adequado para falar sobre prognóstico[1]. Por fim, Keating et al.[3] informam que a maioria dos idosos prefere estar ciente do diagnóstico de DA.[3]

Após dar conhecimento da má notícia, o médico deve estar preparado para as reações do paciente e familiares. É necessário acolher e responder a todos os questionamentos de maneira segura, incluindo questões genéticas, práticas, como agir em momentos de crises em domicílio, e psicológicas devido à angústia por conta do diagnóstico. Em particular, muitos têm imediatas preocupações econômicas e sociais. Por fim, planejar, definir estratégias futuras e relatar a conversa por escrito.

A neurologia é uma área da medicina que se destaca quando se trata da comunicação de más notícias, pois há um grande número de doenças degenerativas e incuráveis, por exemplo DA e outras extremamente estigmatizadas, como epilepsia. O foco deste capítulo é, portanto, trazer informações que auxiliem na explicação e no esclarecimento, pelo médico generalista, aos pacientes e seus familiares, diante da comunicação de más notícias no âmbito das doenças neurológicas.

Demências

Demência é a perda ou redução na capacidade cognitiva que pode incluir alterações de memória, desorientação em relação ao tempo e ao espaço, raciocínio, concentração, aprendizado, realização de tarefas complexas, julgamento, linguagem e habilidades visuoespaciais. Os prejuízos, necessariamente, interferem com a habilidade no trabalho ou nas atividades habituais, representam declínio em relação a níveis prévios de funcionamento e desempenho e não são explicáveis por outras doenças físicas ou psiquiátricas.[4]

Como o diagnóstico de demência é eminentemente clínico, antes da divulgação da notícia, o médico deve esgotar recursos para comprovar tal doença e estar seguro quanto ao diagnóstico, de modo a evitar quebra da relação médico-paciente e médico-família. Deve, ainda, antes de esclarecer sobre o diagnóstico, ter conhecimento do que o paciente percebe e quais são suas impressões a respeito de seus atuais sintomas e possíveis causas. Isso permite corrigir crenças errôneas e definir em qual momento a notícia deve ser divulgada. Atenção particular deve ser dada às diferenças étnicas e culturais que podem influenciar na compreensão e preferência a respeito da divulgação do diagnóstico.[4]

A comunicação do diagnóstico exige tempo, a fim de envolver o paciente com o assunto e possibilitar o planejamento de cuidados futuros.[5] A maioria (57-83%) dos familiares não deseja que o diagnóstico seja revelado ao paciente, porém cerca de 70% gostaria de ter conhecimento sobre essa doença caso fosse acometido por ela.[6] Os parentes temem o impacto da divulgação e de algumas palavras, tais como doença de Alzheimer. Contudo, usar palavras menos precisas pode confundir o paciente e retardar o processo de acolhimento por parte da equipe médica. No Quadro 10.1, seguem informações de como divulgar o diagnóstico numa consulta médica.[4]

◀ **Quadro 10.1.** Modelo de consulta na divulgação do diagnóstico de demência - linhas gerais[4]

- Começar com um panorama simples do quadro atual, de modo claro e objetivo, a fim de não sobrecarregar o paciente e os familiares de informações.
- Usar palavras claras e concisas, sem o uso excessivo de linguagem técnica e ambiguidades.
- Não fornecer a informação segmentada.
- É provável que até essa fase a comunicação esteja centrada na memória ou demais domínios cognitivos. A carga emocional é tal que o objetivo dessa consulta está na transmissão e na recepção dessa parte principal de informação.
- Os parentes relatam a necessidade de um tempo significativo para discutir o diagnóstico e suas implicações, considerando que esse tipo de esquema está associado com o grau de satisfação da relação médico- paciente, médico- família.
- O resto da consulta permitirá introduzir outras informações, tais como explicar os resultados dos exames médicos, as consequências imediatas do diagnóstico.
- O final da consulta está centrado nas habilidades ainda intactas do paciente, no prognóstico a curto prazo e na eventual introdução de um tratamento.

É importante enfatizar a incerteza e a natureza individual de apresentação dos sintomas, explicar o declínio cognitivo e exemplificar, descrever os indicadores que influenciam a progressão, discutir o prognóstico e tempo médio de vida pausadamente, para permitir que a informação seja processada. Além disso, em um segundo momento, deve-se discutir a respeito das opções de cuidados: explicar que se concentram no conforto, expor as limitações de alguns tratamentos na demência avançada, discutir cenários e complicações que possam surgir, considerar situações específicas, tais como alimentação por sondas, ressuscitação cardiopulmonar, antibióticos e admissão hospitalar.[5]

Há características e sintomas típicos de cada fase da doença, independentemente do tipo de demência, que podem flutuar e se sobrepor ao longo da história natural. Tais sintomas geram tensão e angústia para o doente e, principalmente, para seus familiares. Desse modo, cabe à equipe assistente do caso descrever as mudanças que podem surgir nas diferentes etapas da demência. Os quatro estágios sugeridos e as possíveis alterações seguem na Tabela 10.1.[5]

Idosos com síndromes demenciais que apresentam alteração psicológica e comportamental têm pior prognóstico. Sintomas psicóticos, agitação e depressão são relatados como fatores independentes para o declínio cognitivo mais rápido, bem como institucionalização precoce e aumento da sobrecarga ao cuidador.[7]

O familiar-cuidador deve ser orientado de que a sua saúde também sofrerá os impactos da doença do seu familiar. Essa população experimenta duas vezes mais sobrecarga relacionada ao cuidado quando comparada à de idosos com igual grau de dependência; 40% sofrem de depressão; 22% têm dificuldade de manter seu próprio acompanhamento médico; as taxas de mortalidade global e de desemprego também são mais altas para esse grupo de familiares.[8]

O cuidado à saúde de quem cuida de um familiar com demência pode ser feito por meio de aconselhamento psicológico, psicoterapia individual, orientação familiar, grupos de apoio, seja de isoladamente ou com a combinação de abordagens.[8]

Tabela 10.1. Os quatro estágios da demência e suas possíveis alterações[5]

	Mudanças predominantes nos diferentes estágios da demência			
Fase leve	**Fase moderada**	**Fase grave**	**Fase terminal**	
Memória e pensamento				
• Dificuldade na memória de curto prazo • Perde objetos • Falta de atenção • Dificuldade com cálculos e de habilidades organizacionais	• Dificuldade na memória de curto e longo prazos • Esquece história de seus entes queridos • Dificuldade de resolver tarefas simples • Desorientado em tempo e espaço	• Mistura eventos recentes e passados • Não reconhece amigos e parentes • Não segue comando duas etapas	• Sem consciência de passado ou futuro	
Linguagem				
• Dificuldade em encontrar palavras ou nomes • Repete afirmações ou perguntas	• Dificuldade em acompanhar conversas • Dificuldade em formar frases completas	• Não consegue manter uma conversa com sentido • Palavras e frases muitas vezes desconexas	• Não fala ou usa apenas algumas palavras	

Continua

Continuação

Mudanças predominantes nos diferentes estágios da demência			
Fase leve	**Fase moderada**	**Fase grave**	**Fase terminal**
Humor e Comportamento			
• Pode apresentar irritabilidade, angústia ou isolamento social	• Mais facilmente pode apresentar irritabilidade, angústia ou isolamento social	• Pode expressar necessidades • Dificuldade em expressar emoções ou envolvimento social	• Grave declínio da capacidade de expressar emoção
Capacidade de autocuidado			
• Necessita de ajuda com habilidades domésticas, tais como cozinhar e pagar contas • Administra o dinheiro e medicamentos com dificuldade • Pode ficar perdido ou confuso quando dirige veículos	• Necessita de lembretes ou de ajuda com cuidados pessoais • Anda com dificuldade • Não é mais seguro conduzir veículos • Cansa-se com facilidade	• Incontinência urinária e fecal • Problemas com equilíbrio e coordenação • Necessita de ajuda total com cuidados pessoais	• Acamado a maior parte do tempo e imobilizado • Falta de apetite e problemas com deglutição

Esclerose Lateral Amiotrófica (ELA)

A ELA é uma doença neurodegenerativa progressiva, de etiologia indeterminada e que primariamente afeta a população de neurônios motores do córtex motor, tronco cerebral e medula espinhal. A maioria dos pacientes morre de insuficiência respiratória. No diagnóstico o paciente geralmente encontra-se cognitivamente preservado e funcionalmente prejudicado,[9] todavia autônomo. Nessa situação, a comunicação do diagnóstico tem que ser feita de maneira cautelosa. O prognóstico tem que ser abordado precocemente para que as opções de suporte e cuidado possam ser mais bem discutidas e delimitadas pelo paciente e seus familiares.

O tempo médio entre o início das manifestações da doença e a morte é de 3 a 5 anos. Os principais fatores de mau prognóstico são idade avançada e início do quadro com sintomas bulbares. Outros fatores de mau prognóstico são um intervalo curto entre o início do quadro clínico e o diagnóstico (geralmente doença com evolução mais rápida), progressão rápida (observada entre retornos de rotina), baixo IMC, apresentação ELA-demência frontotemporal, dispneia no início da doença e rápido decremento da função pulmonar.[10]

Atualmente, não há tratamento específico para a ELA. A única droga que mostrou mudança na história natural da doença (aumento de sobrevida por 2 a 3 meses quando feito o uso por 18 meses contínuos) foi o Riluzol, medicação que o Ministério da Saúde fornece aos pacientes com o diagnóstico confirmado. Há outras drogas em estudos ainda em fase 2 ou 3. Apesar da falta de terapias específicas, o tratamento sintomático melhora de maneira significativa os sintomas e desconfortos do paciente. Os principais sintomas que geram desconforto e dúvidas no manejo da ELA são disfagia e dispneia.

A disfagia está presente em mais da metade dos casos no momento do diagnóstico. O manejo nutricional é um ponto central no cuidado desse paciente. No início do aparecimento dos sintomas de fala e deglutição, é fundamental a avaliação com a equipe de fonoaudiologia, pois podem se ensinar técnicas que otimizam ao máximo a dieta via oral no curso da doença, com estratégias como suplementação, mudança de consistências e manobras que facilitam a deglutição. As vias alternativas de nutrição têm que ser discutidas. Como já mencionado, o baixo IMC é fator de mau prognóstico, portanto, manter um aporte calórico adequado é a meta a ser alcançada. É importante discutir de maneira oportuna a gastrostomia, para que o procedimento seja realizado de um modo mais seguro, uma vez que a perda de função respiratória (CVF < 30% da predita) aumenta os riscos do procedimento.[9]

Os primeiros sinais da evolução da disfunção respiratória da ELA são os distúrbios respiratórios durante o sono (respiração dificultosa e apneias) levando a despertares e a um sono não reparador.[9] Os sintomas tipicamente ocorrem quando a capacidade vital forçada é menor que 50% da predita.[9] Nesse momento a ventilação com pressão positiva não invasiva é recomendada. A ventilação não invasiva melhora a qualidade de vida, aumenta a sobrevida e reduz a velocidade de progressão dos sintomas respiratórios.[9] Outro ponto a ser discutido com o paciente é o desejo de se realizar traqueostomia, decisão essa que envolve diversas questões, como gastos com aparelhagem, cuidados, qualidade de vida do paciente e cuidadores e a incerteza de quando remover o paciente do ventilador.

Acidente Vascular Cerebral (AVC)

O AVC ganha cada vez mais atenção no cenário médico, grande parte pelos avanços em técnicas terapêuticas e controle de fatores de risco. Apesar dos avanços no tratamento e prevenção, os desfechos como morte e incapacidade física não são desprezíveis. Além dos prejuízos diretos à funcionalidade do paciente, não se pode desconsiderar o impacto em toda a esfera social e financeira, já que muitas vezes esse evento pode atingir alguém em sua idade produtiva, gerando problemas para a geração de renda e com os relacionamentos interpessoais.

Durante as primeiras horas do AVC, é importante que se determine o prognóstico para ter uma melhor capacidade de decisão quanto à proporcionalidade de medidas para o paciente. No AVC isquêmico, há síndromes certas de mau prognóstico (tanto em mortalidade quanto em prejuízo funcional), como infarto por artéria cerebral média maligna e infarto de topo da basilar.[9]

Para estimar o prognóstico em AVCs existem alguns escores. Para o evento isquêmico temos o DRAGON, que prediz o desfecho funcional após 3 meses em pacientes que receberam trombolítico, e o ASTRAL, que prediz o desfecho funcional do paciente 3 meses após o evento.[11] Em hemorragias intracerebrais temos o ICH Score (estima a mortalidade) e o ICH FUNC Score (prediz a probabilidade da independência funcional após 90 dias do evento) e na hemorragia subaracnóidea aneurismática, a escala de Hunt e Hess (prediz mortalidade, Tabela 10.2) e a escala de Fisher modificada (prediz a chance de o paciente desenvolver vasoespasmo sintomático). Antes de ter uma conclusão do prognóstico do paciente, o médico tem que saber em quais aspectos funcionais o paciente foi acometido e qual a reação dele e de sua família diante do déficit.

◀ Tabela 10.2. Escala de Hunt e Hess[20]

Quadro clínico	Risco estimado de morte (%)
Assintomático, cefaleia leve, discreta rigidez nucal	30
Cefaleia moderada a intensa, rigidez de nuca, sem outro déficit neurológico	40
Sonolência/confusão e déficit neurológico focal leve	50
Estupor, hemiparesia moderada a importante	80
Coma, postura de descerebração	90

Em urgências neurológicas, como o AVC, a conduta tem que ser tomada de maneira rápida e, muitas vezes, envolve intubação, ventilação mecânica e cirurgia. Nesse momento, é difícil decidir a proporcionalidade de medidas, já que, por ser um quadro súbito, não é esperado pela família. A importância da comunicação com a família é fundamental, porque a partir desse momento é que vai ser criado o elo entre os familiares e a equipe assistente, já mostrando o quanto essa família vai aceitar prolongar a vida do ente querido mesmo envolvendo piora da sua qualidade.[9]

Após a estabilização do paciente, a reabilitação tem que ser prontamente iniciada. É necessário garantir que a recuperação do paciente será nas melhores condições possíveis, e, para isso, deve-se garantir que o paciente estará empenhado para as tarefas propostas. Entretanto, há problemas aos quais se deve estar atento. A depressão pós-AVCi (isquêmico) é presente em um terço dos pacientes após o evento, o que atrapalha na recuperação e piora a qualidade de vida. O médico assistente tem que estar alerta para detectar esse problema e iniciar o tratamento psicoterápico e, muitas vezes, medicamentoso.[12] Os pacientes após o AVC evoluem com uma série de complicações (p. ex.: dor central pós-AVC, dor por imobilismo, espasticidade, incontinência fecal e urinária, impotência sexual e distúrbios respiratórios do sono), e é dever da equipe assistente otimizar ao máximo as medidas de controle desses sintomas, fazendo com que a qualidade de vida do paciente melhore.

Otimizar a reabilitação é peça-chave no tratamento, pois o ganho funcional é um fator prognóstico importante para a mortalidade a longo prazo. Fatores que se relacionam com a melhora funcional são principalmente idade, gravidade do AVCi na entrada e tempo de início da reabilitação após o AVCi.[13] A execução de treinos que façam o paciente exercitar tarefas parecidas com as quais ele realizava no dia a dia facilita a aderência ao tratamento. No ponto de vista social e econômico, é preciso lembrar que o paciente após o AVC, além de perder uma parte de sua capacidade laboral, acaba tendo mais custos (p. ex.: medicações, fraldas, cadeira de rodas).[14] O papel da equipe multiprofissional (de modo especial da assistente social) nesse ponto é fundamental, facilitando o acesso a medicações, insumos, transporte e direitos sociais.

Epilepsia

Epilepsia é uma doença que é envolta de preconceitos desde a Antiguidade. Por suas manifestações involuntárias e gerando posições bizarras com o corpo, já foi considerada possessão por espírito e demônios ou então uma doença incapacitante e incurável. Muito do que se achava popularmente desde a Antiguidade se mantém em alguns locais. Quando o paciente é diagnosticado com epilepsia, uma grande quantidade de dúvidas vem à tona, na maioria das vezes relacionadas ao controle das crises. O principal passo é diagnosticar com a maior exatidão possível a síndrome epiléptica e a etiologia responsável pelo quadro, podendo-se estimar um prognóstico e iniciar o tratamento mais adequado.

Quando diagnosticada, o tipo de epilepsia do paciente tem que ser explicado. Muitas vezes o tratamento é satisfatório com uma única droga, ou tem resolução espontânea com o passar da idade, mas algumas vezes é um quadro progressivo, podendo levar a extrema dependência ou morte.

O tratamento da epilepsia varia muito, algumas vezes a observação da evolução em algumas epilepsias da infância ou até cirurgias extensas em formas refratárias ao tratamento medicamentoso . Quando iniciada uma droga antiepiléptica, não se pode deixar dúvidas quanto à posologia proposta, já que isso pode significar o controle das crises ou um episódio de estado de mal epiléptico. Outro fato a ser lembrado é a explicação cautelosa dos efeitos colaterais e possíveis complicações relacionadas ao uso da medicação. Isso é algo de fundamental importância no tratamento, pois alguns efeitos colaterais podem significar o abandono da medicação sem aviso, podendo gerar uma série de complicações relacionadas ao descontrole da doença. O tratamento também envolve medidas comportamentais, como evitar a privação de sono e o jejum prolongado.

A crise convulsiva é um momento muito difícil para a família e uma série de dúvidas surge. É importante orientar que não se deve tentar abrir a boca do paciente, o que deve ser feito é colocar o paciente de lado, para evitar aspiração, e proteger a cabeça, evitando um trauma craniano. Procurar serviço médico é extremamente importante durante ou após a crise.

Uma das dúvidas que o paciente e os familiares frequentemente questionam é se epilepsia pode matar. As causas de morte relacionada a epilepsia são principalmente acidentes (afogamento, acidentes automobilísticos, queimaduras e quedas) e a morte súbita inesperada em epilepsia (sigla em inglês SUDEP). Os acidentes devem ser lembrados em toda e principalmente na primeira avaliação do paciente com o diagnóstico de epilepsia, porque evitar as situações enquanto não houver controle adequado da crise pode significar lesões graves ou mesmo a morte. Lembrar ao paciente que ele deve evitar ambientes aquáticos, altura (p. ex.: sacada de prédio) e dirigir veículos automotores é dever do médico em uma tarefa tão importante quanto a prescrição da medicação que pode controlar sua crise. SUDEP é uma complicação, mais frequente em formas refratárias de epilepsia, de mecanismos ainda não tão bem definidos, mas o que se observa nesses quadros são disfunções cardiológicas, respiratórias e neurológicas levando à morte.[14] Sua definição é a seguinte: "morte súbita, inesperada, testemunhada ou não testemunhada, não traumática, e sem afogamento de um paciente com epilepsia com ou sem evidência de uma convulsão, excluindo estado de mal epiléptico documentado, e no qual o exame *post-mortem* não revela uma causa estrutural ou toxicológica de morte".[16]

Cada tipo de epilepsia tem uma história natural, e cabe ao médico ter ciência disso, podendo explicar ao paciente como o quadro pode evoluir, podendo em alguns casos alcançar a completa remissão (definida por 5 anos sem crises e sem medicação), ou em algumas situações com controle medicamentoso por toda a vida.

Lesão Medular Aguda

A lesão medular aguda é uma complicação devastadora do trauma raquimedular. Com a idade média de ocorrência aos 40 anos, é uma doença que traz uma grande perda de potenciais anos de trabalho.[17] As manifestações clínicas variam de sintomas transitórios e recuperação completa à tetraplegia. Por, muitas vezes, tratar-se um paciente jovem com uma perda funcional importante, isso gera comoção no ambiente intrafamiliar e, muitas vezes, na equipe assistente. A pergunta a ser respondida é se o paciente vai melhorar dos sintomas ou vai continuar dependente. Hoje, é bem definido que o prognóstico dos pacientes com lesão medular aguda pode ser estimado com auxílio do exame físico e de imagem (ressonância magnética).[17]

Interpretamos os sinais clínicos com o auxílio da escala da Associação Americana de Lesão Medular (ASIA). A avaliação é composta pelo exame motor e sensitivo do paciente, em que A é o paciente sem resposta motora ou sensibilidade aos níveis de S4-S5 e E é o paciente que não apresenta déficit algum (Tabela 10.3).[18]

◀ **Tabela 10.3.** Valor preditivo positivo para recuperação da marcha independente em 6 meses a 1 ano (usando o ASIA Score)[17]

ASIA	VPP (%)
A	8,3
B	39,4
C	61,8
D	97,3

Para complementação da avaliação clínica, podemos utilizar a ressonância magnética, caracterizando a lesão medular em quatro tipos: sem alteração (bom prognóstico), edema localizado, edema difuso e hemorragia (mau prognóstico).[17] Devem ser lembrados os sintomas secundários ao trauma medular e que o paciente precisa ser orientado, por exemplo, das alterações gastrointestinais e urinárias.[19]

Após otimizar os sintomas que podem causar desconforto e prejudicar a vida do paciente, deve-se focar na reabilitação. Hoje, sabe-se que atos como a marcha não dependem exclusivamente de cérebro, mas também de uma série de circuitos presentes na própria medula espinhal.[19] Então, com a reabilitação, o uso dessas vias medulares é otimizado, podendo fazer com que o paciente que tinha poucas funções naquele nível possa restabelecer alguns movimentos, os quais podem fazer grande diferença no seu dia a dia.

Conclusão

O foco em educação sobre más notícias aumentou consideravelmente nas últimas décadas. Cursos de comunicação estão sendo incluídos na formação médica em algumas universidades fora do Brasil. Porém, há poucos dados na literatura médica nacional e internacional sobre tal habilidade especificamente nas doenças neurológicas.[1]

Basicamente, os elementos essenciais para uma comunicação bem-sucedida em doenças neurológicas são o bom vínculo médico-paciente e médico-família, a segurança no diagnóstico, valorizar a cultura e a religião e, finalmente, ser claro quanto à possibilidade de cura, bem como quanto às modalidades de tratamento, que pode se estender desde sintomáticos a conforto e reabilitação.

Bibliografia

1. Storstein A. Communication and neurology – bad news and how to break them. Acta Neurologica Scandinavica; 124(191): 5-11, 2011.
2. McCluskey L, Casarett D, Siderowf A. Breaking the news: a survey of ALS patients and their caregivers. Amyotroph Lateral Scler Other Motor Neuron Disord; 5(3): 131-35, 2004.
3. Keating DT, Nayeem K, Gilmartin JJ, O'Keeffe ST. Advance directives for truth disclosure. Chest; 128: 1037-39, 2005.
4. Antoine P, Pasquier F. Emotional and psychological implications of early AD diagnosis. Med Clin North Am; 97(3): 459-75, 2013.
5. The Irish Hospice Foundation. Guidance Document 1: Facilitating discussions on future and end-of-life care with a person with dementia, 2015. Disponível em: http://hospicefoundation.ie/wp-content/uploads/2013/11/Guidance-Doc-1-DRAFT.pdf (acesso em 19 maio 2016).
6. Marzanski M. On telling the truth to patients with dementia. West J Med; 173(5): 318-23, 2000.
7. Zahodne LB, Ornstein K, Cosentino S, Devanand DP, Stern Y. Longitudinal relationships between Alzheimer's disease progression and psychosis, depressed mood and agitation/aggression . 23(2): 130-40, 2015.
8. Alzheimer's Association. 2016 Alzheimer's Disease Facts and Figures, 2016. Disponível em: https://www.alz.org/documents_custom/2016-facts-and-figures.pdf (acesso em 30 maio 2016).
9. Creutzfeldt CJ, Maisha TR, Robert GH. Neurologists as primary palliative care providers Communication and practice approaches. Neurology: Clinical Practice; 6(1): 40-48, 2016.
10. Daroff RB, et al. Bradley's Neurology in Clinical Practice. Philadelphia, Elsevier Health Sciences, 2015.
11. Cooray C, et al. External Validation of the ASTRAL and DRAGON Scores for prediction of functional outcome in stroke. Stroke; 47(6): 1493-99, 2016.
12. Holloway RG, et al. Palliative and end-of-life care in stroke. A statement for healthcare professionals from the American Heart Association/American Stroke Association. Stroke; 45(6): 1887-1916, 2014.
13. Scrutinio D, et al. Functional gain after inpatient stroke rehabilitation correlates and impact on long-term survival. Stroke; 46(10): 2976-80, 2015.
14. Essue BM, et al. How are household economic circumstances affected after a stroke? The Psychosocial Outcomes In StrokE (POISE) Study. Stroke; 43(11): 3110-13, 2012.
15. Massey CA, et al. Mechanisms of sudden unexpected death in epilepsy: the pathway to prevention. Nature Reviews Neurology; 10(5): 271-82, 2014.
16. Nashef L, et al. Unifying the definitions of sudden unexpected death in epilepsy. Epilepsia; 53(2): 227-33, 2012.
17. Stein DM, Kevin NS. Management of acute spinal cord injury. CONTINUUM: Lifelong Learning in Neurology; 21(1): 159-87, 2015.

18. Van Middendorp JJ, et al. Diagnosis and prognosis of traumatic spinal cord injury. Global Spine Journal; 1(1): 1-8, 2011.
19. LiVecchi MA. Spinal cord injury. CONTINUUM: Lifelong Learning in Neurology; 17(3): 568-83, 2011.
20. Hunt WE, Robert MH. Surgical risk as related to time of intervention in the repair of intracranial aneurysms. Journal of Neurosurgery; 28(1): 14-20, 1968.

11

Doenças Cardíacas e Pulmonares

Aécio Flávio Teixeira de Góis
Renato Delgado Galibert

Introdução

Com a evolução da tecnológica e com a alta prevalência de doenças cardíacas, muito se publicou acerca de novos métodos diagnóstico, condutas terapêuticas ou índices prognósticos em doenças cardiovasculares. No entanto, em virtude da rapidez da evolução tecnológica, do grande número de informações novas e da crescente complexidade das doenças, a capacidade do médico de propagar o conhecimento aos seus pacientes ficou obsoleta, sendo comum verificar o acúmulo de informações desnecessárias, ou mesmo lesivas ao paciente sem, entretanto, explicar exatamente o que o paciente necessita saber. A proteção da dialética médica, na qual muitas palavras rebuscadas são ditas, porém pouco se diz efetivamente, acabou por consolidar ainda mais o distanciamento médico-paciente na área de comunicação de más notícias.

O foco deste capítulo será em tentar fornecer informações acerca do prognóstico das doenças mais comuns na área de cardiologia, de modo a fornecer subsídios para a equipe de saúde acerca das informações que os pacientes mais desejam conhecer acerca seus agravos, bem como fornecendo métodos de fazê-lo do modo mais compreensível, focando em aspectos práticos do dia a dia do paciente.

Insuficiência Cardíaca

A insuficiência cardíaca (IC) é uma síndrome caracterizada por comprometimento do enchimento e/ou ejeção ventricular, decorrente tanto de falhas estruturais como funcionais do coração. Pode ser classificada como de fração de ejeção preservada ou com redução da fração de ejeção. Independentemente da classificação, apresenta-se como a terceira causa de internações hospitalares, e a primeira entre as causas cardiovasculares.

A IC, independentemente se firmado o diagnóstico durante uma descompensação aguda ou em um paciente assintomático, é uma condição de alta letalidade. Dados sugerem que a IC alcança mortalidade comparável com a do câncer. Por exemplo, na coorte de Framingham, a probabilidade de alguém morrer com o diagnóstico de IC em 5 anos foi de 62 a 75% em homens e de 38 a 42% em mulheres. Em comparação, a sobrevida em 5 anos entre portadores de câncer, qualquer que fosse o tipo, entre homens e mulheres foi de 50%. Outro exemplo relevante diz respeito ao número de mortes decorrentes IC nos Estados Unidos, em 2004, que excedeu o câncer de pulmão, de mama, próstata e HIV/AIDS juntos, apesar de menor prevalência em comparação a todos as outras patologias associadas.

Prognóstico

Apesar de o estudo Framingham fazer a inferência de prognóstico em pacientes com diagnóstico recente de IC (mortalidade de 50% em 5 anos para pacientes com diagnóstico recente de IC), prover para o paciente o prognóstico a curto prazo, de 6 meses a 1 ano, é uma tarefa mais complexa.[1] Entre as razões para tal dificuldade, podemos citar:
1. Alta incidência de morte súbita (25 a 50%), complicação possível e imprevisível na evolução da doença;
2. Dificuldade de seguimento do tratamento clínico baseado em evidências, de modo a dificultar a inferência de prognóstico para boa parte dos portadores de IC;
3. Grande diferença interobservador da classificação da New York Heart Association (NYHA).

Mesmo existindo discrepância interobservadores na classificação da NYHA, observaram-se as sobrevidas em 1 ano constantes na Tabela 11.1, de acordo com dados obtidos nos estudos Framingham, SUPPORT e IMPROVEMENT.

◀ **Tabela 11.1.** Mortalidade em 1 ano de acordo com classe funcional

Classe II (dispneia desencadeada aos moderados esforços)	5-10%.
Classe III (dispneia aos leves esforços)	10-15%.
Classe IV (dispneia ao repouso ou incapacitante para realização das atividades básicas diárias)	30-40%.

Entre outros fatores prognósticos, podemos citar os constantes na Tabela 11.2, que fornecem de modo independente maior risco de mortalidade.[2]

◀ **Tabela 11.2.** Fatores associados a pior prognóstico

Fatores associados a pior prognóstico	Risco associado
Hospitalização recente por causas cardíacas	Triplica mortalidade em 1 ano
PAS < 100 mmHg e/ou FC > 100 bpm	Cada um deles duplica a mortalidade em 1 ano
Redução da FEVE	Redução linear da sobrevida em valores de FEVE < 45%
Anemia	Redução em 1 g/dL do Hb eleva em 16% a mortalidade
Ureia > LSN e/ou Cr > 1,4 mg/dL	
Arritmias ventriculares	
Resistência ao tratamento	
Caquexia	
Reduzida capacidade funcional	
Hiponatremia	
Comorbidades associadas	DMII, DPOC, depressão, cirrose, doença cerebrovascular, câncer.

DMII: diabetes melito tipo 2; DPOC: doença pulmonar obstrutiva crônica; FEVE: fração de ejeção do ventrículo esquerdo; FC: frequência cardíaca; PAS: pressão arterial sistólica; LSN: limite superior normal.

Além de mortes decorrentes da IC, vale ressaltar que a qualidade de vida entre pacientes portadores de IC é bastante prejudicada por, entre outros fatores, sucessivas internações hospitalares para controle de sintomas, restrições alimentares, uso de várias medicações.

Diferentemente de doenças terminais como o câncer, em que é mais perceptível um declínio rápido na performance nos últimos meses de vida, a IC é caracterizada por descompensações de modo geral imprevisíveis, com declínio funcional mais sutil entre tais eventos, o que torna mais difícil o reconhecimento de quando instituir cuidados de fim de vida para os pacientes portadores dessa patologia.[3] Em estudo realizado nos Estados Unidos com pacientes portadores de IC em classe funcional avançada, hospitalizados em unidade de terapia intensiva (UTI), a maioria dos identificados com sobrevida menor de 6 meses, por meio de uma variedade de critérios prognósticos, apresentou sobrevida maior do que a prevista. Tal discrepância é característica da IC, sendo mais frequente do que em outras doenças crônicas a existência de períodos de boa qualidade de vida, mesmo em fases terminais da doença.

A utilização de ferramentas prognósticas confeccionadas para pacientes com IC pode ser de grande valia para o acompanhamento, principalmente se utilizadas de forma longitudinal, acrescentando dados da evolução clínica do paciente portador de IC. Existe um grande número de marcadores prognósticos na IC, entre os quais podemos citar marcadores únicos como teste de 6 minutos de caminhada, peptídeo natriurético atrial e creatinina. Entre os modelos de análise de múltiplos fatores, o que utiliza o maior número de variáveis e inclui dados acerca da terapêutica empregada é o Seattle Heart Failure Score (Figura 11.1),[4] que fornece prognóstico em 1, 2 e 5 anos, bem como a mudança deste com a adoção de algumas medidas terapêuticas, tendo sido validado utilizando-se uma grande população, bem heterogênea, com dados de pacientes de todos os continentes. Entre os fatores preditores de mortalidade estão: múltiplas passagens pelo pronto socorro ou hospitalizações; sintomas ao repouso; dependência para atividades básicas de vida; perda ponderal de 10% da massa corporal; albumina menor ou igual a 2,5, fração de ejeção de ventrículo esquerdo menor que 20%; arritmia sintomática; ressuscitação cardiopulmonar prévia; síncope prévia e acidente vascular encefálico (AVE) embólico.

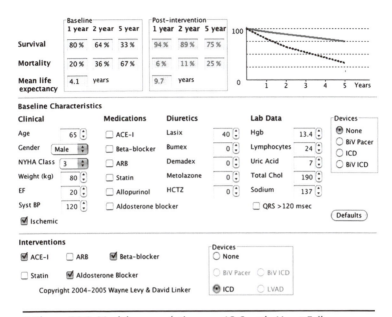

◀ **Figura 11.1.** Modelo prognóstico para IC-Seattle Heart Failure Model.

Apesar de vários modelos terem sido desenvolvidos na tentativa de fornecer melhores informações sobre o prognóstico tanto de curto como de longo prazo para pacientes portadores de IC, eles ainda necessitam de validação prospectiva em pacientes ambulatoriais, não selecionados, portadores de IC. Ademais, vale ressaltar que, com a evolução terapêutica, atualizações sucessivas serão necessárias de modo a manterem suas capacidades de fornecer dados acerca do prognóstico. Desse modo, no presente momento, a capacidade da equipe de saúde em fornecer dados adequados acerca do prognóstico na IC ainda é uma tarefa difícil na prática clínica diária, o que, no entanto, não pode ser um fator impeditivo para se conversar sobre prognóstico.

Comunicação

Mesmo sendo conhecida a dificuldade de fornecer prognóstico mais adequado, informações sobre as possíveis manifestações da doença não podem deixar de ser passadas para paciente e/ou familiares. Estudos realizados com familiares de pacientes portadores de IC que faleceram de morte cardíaca não súbita referem pouca comunicação por parte dos médicos sobre o que esperar acerca da doença. Especificamente, apenas 37% dos familiares foram orientados a respeito do mau prognóstico, enquanto cerca de 8% dos pacientes e 44% dos familiares foram alertados quanto ao curto período de vida restante dos pacientes portadores de IC.[5]

A possibilidade de se estabelecer um plano de cuidados que leve em consideração desejos e crenças de pacientes e familiares de portadores de doenças crônicas e progressivas torna a comunicação da má notícia imperiosa, caso este seja o desejo do paciente e/ou familiar. Isto é, pacientes e familiares devem ter informações básicas acerca do diagnóstico, dos sintomas esperados e do prognóstico e, munidos de tais informações, tornam-se mais aptos a discutir diretivas antecipadas de vida. Tal discussão deve ser realizada preferencialmente durante um período de estabilidade clínica do paciente, pontuando sobretudo desejos e metas que auxiliem na tomada de decisão em momentos de descompensação aguda da IC. No entanto, deve ser assegurado, tanto ao paciente como aos familiares, que tais preferências podem ser modificadas durante o curso da doença, já que a imprevisibilidade das descompensações pode interferir de sobremaneira em projetos estabelecidos pelo próprio paciente.

Metas terapêuticas, estabelecidas pelos pacientes, devem focar especialmente em circunstâncias nas quais o paciente prefere medidas de conforto em detrimento de medidas que visam prolongar a vida. Discussões específicas como intubação orotraqueal ou ressuscitação cardiopulmonar são menos úteis do que o auxiliar o paciente a caracterizar o que ele considera seus valores de vida e situações nas quais tais valores não poderão ser alcançados.

Pode-se citar a incapacidade de interagir com pessoas amadas em virtude de sequelas cognitivas secundárias ou de intubação orotraqueal, como uma situação na qual o paciente deixa de vivenciar seus valores cultivados durante a vida. Exemplificar esse tipo de situação, utilizando como estratégia o apontamento de experiências de outros pacientes ou de familiares do paciente que vivenciaram a situação de incapacidade de exercício de valores pessoais, pode ser de grande auxílio. Um diálogo aberto, incluindo situações como "alguns de meus pacientes me afirmaram que se apresentassem qualquer tipo de coma permanente ou dano cerebral severo que os tornasse incapazes de reconhecer e interagir com pessoas amadas, eles focariam suas atenções apenas no alívio de sintomas em detrimento de prolongar a vida, enquanto outros pacientes dizem que desejam a realização de todos os tipos de medidas que prolonguem a vida, independentemente do dano cerebral existente, em qual grupo você se encaixaria?", pode facilitar o paciente a compreender o objetivo de se abordar o assunto especificamente. Reativar, sempre que necessário, a resposta dada a esse tipo de pergunta serve de parâmetro para futuras decisões.

Deve-se, sempre que possível, encorajar o paciente a identificar um familiar/cuidador que estará autorizado a tomar decisões sobre medidas proporcionais em caso de impossibilidade de comunicação por parte do paciente. No entanto, deve levar-se em consideração que a pessoa escolhida para a tomada desse tipo de decisão nem sempre está apta ou deseja este tipo de responsabilidade, de modo que ela pode servir de centralizadora das decisões e de interlocutora dos desejos do paciente com base em experiências prévias.

Como forma geral, estabelecer estratégias antes de comunicar uma notícia serve para facilitar a missão e reduzir a possibilidade de danos ao paciente e/ou a familiares, podendo ser utilizada a sequência descrita a seguir (Tabela 11.3), na qual foi exemplificado o caso de IC, mas que pode ser utilizado para qualquer doença.

Sintomas

Como modo de melhorar a compreensão por parte do paciente, vale explicar acerca da ocorrência e recorrência de sintomas esperados na progressão da IC, sendo os que mais alteram a qualidade de vida são:
- dispneia;
- dor;
- depressão; e
- edema.

Permitindo que o paciente conheça melhor a progressão da doença, ele poderá auxiliar de modo positivo no manejo dos sintomas, bem como poderá entender melhor em qual fase da doença se encontra, de modo a possibilitar adequar suas expectativas às suas possibilidades.

◀ **Tabela 11.3.** Guia para comunicação de prognóstico e plano de cuidados para pacientes portadores de IC

Avaliação	• Pergunte ao paciente o que ele entende acerca de sua condição. • Verifique se o paciente deseja conversar sobre a doença, se necessita da presença de algum familiar, ou mesmo se ele autoriza que se converse sobre o assunto com alguma outra pessoa.
Prognóstico	• Esteja seguro de que a falta de certeza acerca do prognóstico da IC não é desculpa para não informar as implicações futuras no caso de doença avançada.
Preparação	• Converse acerca de possíveis cenários. • Prepare o paciente emocionalmente para o que ele deve esperar. • Forneça estimativas acerca sobrevida (evite precisar datas, dê preferência por períodos, p. ex.: dias a semana, semanas a mês, meses a ano).
Preferências	• Discuta diretivas antecipadas, desejos caso o paciente apresente dano cerebral permanente, ressuscitação cardiopulmonar, intubação orotraqueal, local em que refere receber os cuidados. • Discuta desativação de CDI, marca-passos (se aplicável).
Planejamento em caso de morte	• Sugira deixar assuntos financeiros e emocionais em ordem. • Ajude a mobilizar apoios comunitários e familiares (p. ex.: cuidadores domiciliários, referências de cuidados paliativos, hospices, instituições de longa permanência).

Pacientes em fase terminal da IC poderão desenvolver aumentos significativos na resistência aos diuréticos, dificultando o controle da dispneia. Redução da pós-carga com uso de nitratos, com ou sem hidralazina, pode promover alívio sintomático, no entanto eles podem levar à hipotensão, o que limita seu uso. Diversos estudos demonstraram a eficácia e a segurança do uso de opioides em baixas doses no controle da dispneia (sempre atentar para o risco de efeitos adversos característicos de tal classe medicamentosa, principalmente constipação e náuseas, bem como sinais de intoxicação). Benzodiazepínicos podem ser úteis em sintomas de pânico associado à falta de ar, levando-se em conta o risco de sedação excessiva principalmente em pacientes idosos. Algumas evidências sugerem o uso de técnicas pouco usuais para controle da dispneia, como estimulação neuroelétrica muscular, vibração de parede torácica, exercícios e treinos de fôlego.

Quanto à dor, dados indicam que este é um sintoma geralmente não tratado em fases avançadas de IC. Entre agentes farmacológicos que podem ser utilizados para tratamento de dor, estão os bifosfonatos para fraturas secundárias a processos neoplásicos, medicações antianginosas em pacientes coronariopatas, ou em casos selecionados, condutas mais invasivas como cateterismo podem ser apropriadas para controle de angina refratária ao tratamento clínico. O uso de anti-inflamatórios não esteroides (AINE) deve ser evitado a todo custo em virtude do risco tanto gastrintestinal como renal, não se esquecendo que a retenção hídrica associada é uma causa bastante comum de descompensação cardíaca. Opioides devem ser utilizados em caso de dor moderada a grave, seguindo a mesma estratégia do paciente portador de neoplasia, no qual o alvo é o controle da dor, e não atingir uma determinada dose pré-estabelecida.

Dados indicam que 21 a 36% dos pacientes com IC apresentam diagnóstico de depressão, sendo que quadros cardiológicos mais sintomáticos associam-se a taxas mais elevadas de transtornos do humor. Pacientes portadores de depressão grave apresentam risco maior de descompensação clínica, reinternação hospitalar, bem como maior mortalidade. No controle da depressão, sintomas como dor e dispneia devem ser tratados agressivamente. Quando tratamento psicoterápico é iniciado, deve-se avaliar e balancear periodicamente o controle dos sintomas de humor sem adicionar efeitos adversos comuns aos antidepressivos. Isso, de modo geral, é difícil, haja visto serem comuns a polifarmácia e a concomitância de lesão renal ou hepática. Além disso, é imperioso ter em mente que alguns antidepressivos, como os tricíclicos, podem levar a alterações no ritmo cardíaco, com aumento do risco de descompensação cardíaca. É comum a necessidade de várias tentativas antes de se identificar um agente tolerado pelo paciente, o que não contraindica, nem tampouco deve desencorajar o tratamento da depressão.

Em relação à fadiga, queixa comum entre os cardiopatas graves, o tratamento consiste na identificação e tratamento de causas secundárias, como a anemia, infecção, desidratação, distúrbios eletrolíticos, disfunções tireoidianas e depressão. Quanto a opções farmacológicas para tratamento da fadiga primária, estimulantes como metilfenidato e medidas não farmacológicas (p. ex.: exercícios aeróbicos ou técnicas de conservação de energia) são úteis. Outra causa comum de fadiga que pode ser corrigida são os distúrbios do sono. Quanto ao edema, que pode ser motivo de grande desconforto entre o paciente cardiopata, diureticoterapia consiste no eixo principal do tratamento. No entanto, medidas como meias elásticas compressivas podem ser úteis. Pacientes com ascite refratária podem se beneficiar de paracentese de alívio, que pode ainda contribuir com melhora na função renal por redução da pressão intra-abdominal.

Na evolução da IC, o paciente deve estar ciente da necessidade de redução de algumas medicações sabidamente prolongadoras de vida com o foco de manter a qualidade de vida. Entre tais medicações, destacam-se os betabloqueadores principalmente em pacientes com bradicardia sintomática ou retenção de fluidos refratária à diureticoterapia. Descontinuação de inibidores da enzima conversora da angiotensina (IECA) ou bloqueio do ramo alternante (BRA) pode ser necessária em virtude da piora da função renal ou hipotensão sintomática. O desenvolvimento de hipotensão e redução da função renal associada à terapêutica estão associados a pior prognóstico. Quanto ao uso de inotrópicos em fases avançadas da IC, estes não promovem aumento de sobrevida, porém estão associados a controle de sintomas por períodos prolongados. Em estudos retrospectivos de pacientes em fase terminal da IC que fizeram uso de infusão contínua de inotrópicos como milrinone e dobutamina, a sobrevida de 6 meses e de 1 ano foi de 58% e 44%, respectivamente. Consequente ao fato de tais medicações não alterarem mortalidade, elas são classificadas pela ACC/AHA como classe IIB.

Desfibrilador cardíaco implantável (CDI) reduz o risco de morte súbita associada a arritmias malignas na IC. No entanto, de acordo com a evolução da cardiopatia, os pacientes passam a ser mais susceptíveis a receber múltiplos choques, o que pode levar a desconforto significativo e ansiedade associada. É conhecido que médicos pouco discutem a desativação de tais dispositivos, sendo que a maioria deles permanece ligada até a morte, resultando em grande desconforto associado. Estudos demonstram que pacientes não compreendem de modo efetivo a utilidade do CDI, sendo comum por parte deles o estabelecimento de uma relação de dependência psicológica complexa, dificultando a desativação do CDI. Em pacientes terminais, quando a morte se mostra iminente, desligar o dispositivo evita choques repetidos. No entanto, em razão da dependência já citada, tal conduta deve ser explicada com antecedência para paciente e familiares, enquanto o paciente se mantém capaz de participar dessa decisão.

Doença Valvar

Nas últimas décadas, houve uma mudança significativa no perfil de morbidade da população. Tal mudança também é verificada nos pacientes portadores de patologias orovalvares, já que, principalmente nos países desenvolvidos, observou-se a redução da incidência de doença valvar secundária à febre reumática, enquanto o aumento na longevidade da população geral elevou a incidência de doenças valvares degenerativas. A incidência de endocardite, outra causa de lesão valvar, mantém-se estável em número absoluto, mas também apresenta mudança do perfil etário, tornando-se mais frequente em pacientes mais idosos. O envelhecimento populacional está associado ao aumento do número de comorbidades, aumentando o risco cirúrgico, tornando a decisão quanto à abordagem cirúrgica mais complexa. Outro importante problema na área das doenças valvares é a alta proporção de pacientes com cirurgias cardíacas prévias, o que eleva o risco de um procedimento cirúrgico novo.

Na ausência de evidência baseada em ensaios clínicos randomizados, a decisão de intervenção cirúrgica em pacientes portadores de doenças valvares baseia-se em uma análise individualizada acerca do risco × benefício e, para tal, faz-se necessário o conhecimento profundo da história natural da lesão valvar em si, de modo a ser possível avaliar qual seria o ganho em relação a prognóstico e qualidade de vida após o procedimento cirúrgico. Discutir com o paciente os possíveis benefícios da intervenção cirúrgica precocemente, deixando-o a par da possibilidade de intervenção cirúrgica em algum momento da evolução da doença, pode ser importante para a melhor organização do paciente e familiares.

Fatores preditores de mortalidade no intra e pós-operatório foram identificados por meio de séries de pacientes submetidos a cirurgias valvares. Entre os fatores relacionados, doença cardíaca, idade, comorbidades e tipo de cirurgia são os mais significativos. Em razão de essas características terem pesos diferentes, a combinação delas em escores prognósticos facilita na árdua tarefa de avaliar o risco operatório, no entanto tais escores não servem para indicar ou contraindicar um procedimento, mas para auxiliar e fornecer informações mais precisas para o paciente acerca dos riscos individual do procedimento.

Estenose Aórtica

A estenose aórtica (EAo) é caracterizada pela obstrução da via de saída do ventrículo esquerdo (VE). É a doença da valva aorta mais frequente, presente em 4,5% da população acima de 75 anos, com tendência a aumentar a incidência em virtude do envelhecimento populacional.[6] A definição de gravidade da EAo segue critérios ecocardiográficos, sendo reconhecido atualmente que a lesão em si promove uma hipertrofia ventricular concêntrica, elevação das pressões de enchimento e, consequentemente, a disfunção ventricular. Sabe-se que a doença valvar tem uma história longa e arrastada antes de iniciar a apresentar seus sintomas característicos (dispneia, síncope e dor torácica), sendo comum o aparecimento da sintomatologia em torno da 6ª ou 7ª década de vida. A partir do desenvolvimento dos sintomas secundários a EAo (sendo a dispneia o sintoma associado com a menor sobrevida), o prognóstico do paciente se deteriora rapidamente, com média de sobrevida de 2 a 3 anos e aumento importante dos episódios de morte súbita (Figura 11.1).[7] Desse modo, o diagnóstico precoce, antes do surgimento de sintomas ou da disfunção ventricular (FEVE < 50%), é a medida mais efetiva no controle da doença.

A ecocardiografia é o instrumento mais importante tanto para quantificar a gravidade da obstrução e a repercussão hemodinâmica secundária como para avaliar a anatomia valvar para o planejamento cirúrgico (Tabela 11.4).

◀ **Tabela 11.4.** Quantificação da estenose valvar aórtica

	Leve	Moderada	Grave
Velocidade de jato (m/s)	< 3,0	3 a 4	> 4,0
Gradiente médio (mmHg)	< 25	25 a 40	> 40
Área valvar (cm^2)	> 1,5	1,5 a 0,8	< 0,8

Em estudo recente com seguimento de 2 anos, com objetivo de se desenvolver um escore de risco (eventos adversos computados: morte ou necessidade de cirurgia cardíaca) em portadores de EAo importante assintomáticos, encontrou-se como preditores independentes:
1. Sexo feminino;
2. Velocidade de jato transvalvar aórtico no pico da sístole;
3. Valor inicial de BNP.[8]

De acordo com as últimas diretrizes que versam sobre estenose aórtica (Figura 11.2), lesão valvar severa com sintomas associados caracteriza indicação precisa de troca valvar; no entanto, em pacientes assintomáticos ou com lesões valvares menos significativas, a indicação cirúrgica continua sendo motivo de debates. Até o momento, a despeito de todas as tentativas de melhor prever o desfecho associado à EAo, não

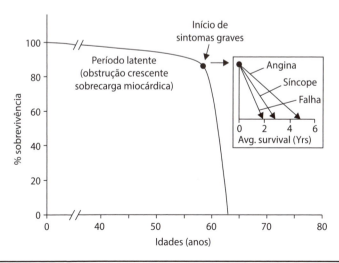

◀ **Figura 11.2.** História natural da estenose aórtica.

há um critério que isoladamente defina a repercussão hemodinâmica de modo fidedigno, ou mesmo que seja capaz de prever o início dos sintomas. Nesse contexto, o paciente deve ser encorajado a conhecer os possíveis desfechos da doença em si, bem como os sintomas associados à lesão valvar, de modo a atuar em conjunto com o médico assistente na detecção precoce dos sintomas e na antecipação da conduta cirúrgica em si, caso esta seja possível ou desejada.

Vale ressaltar, entretanto, que o risco de morte súbita sem sintomas precedentes não pode ser muito bem quantificado, apesar de ser uma ocorrência rara. Na avaliação entre conduta cirúrgica X expectante, o fato de existirem muitos riscos associados tanto ao procedimento cirúrgico em si quanto relacionados à prótese valvar faz a conduta expectante ainda tender a superar os benefícios em pacientes assintomáticos. No entanto, tal decisão deve ser compartilhada com o paciente para que este tenha uma perspectiva mais realista da própria condição e possa, levando em consideração seus desejos e perspectivas, auxiliar na decisão terapêutica.

Parada Cardiorrespiratória (PCR)

A parada cardiorrespiratória caracteriza-se pela ausência de contração miocárdica efetiva com interrupção súbita da circulação e/ou da respiração, levando à iminência de óbito. Caso uma intervenção precoce e efetiva não seja feita na situação descrita, invariavelmente o paciente evoluirá para óbito, sendo esta a emergência médica que tem prioridade sobre qualquer outra dentro da medicina de urgência. Tal condição apresenta-se, na maioria das vezes, por sintomas prodrômicos como dor torácica, dispneia ou mal-estar, que, por serem sintomas inespecíficos, podem não ser valorizados a tempo de se evitar um episódio de PCR.

Tal condição pode ocorrer tanto em ambiente hospitalar como fora do hospital, de modo que, para o seu melhor atendimento, foram estabelecidas os objetivos e focos terapêuticos em cada um dos ambientes. O suporte básico de vida (SBV) tem como foco prover as condições mínimas necessárias para a manutenção ou recuperação da oxigenação tecidual, fundamental no prognóstico neurológico dos pacientes. Já o suporte avançado de vida (SAVC) é composto por procedimentos invasivos (p. ex.: administração de drogas, garantia de via aérea), associados à monitorização cardíaca e desfibrilação elétrica por aparelho não automatizado, tendo como objetivo tentar reverter a causa básica da parada e reestabelecer a circulação espontânea.

Dados acerca da ressuscitação cardiopulmonar em pacientes internados demonstram que usualmente pacientes submetidos a manobras de ressuscitação cardiopulmonar (RCP) no ambiente nosocomial apresentam pior prognóstico, com uma taxa de sobrevivência imediata em torno de 45%, e sobrevivência até a alta de 15%, caracterizando uma taxa de mortalidade pós-RCP de 85% em pacientes hospitalizados.[9] Dados acerca de pacientes idosos ambulatoriais apontam que estes têm cerca de 10% de chance de sobreviver após uma PCR fora do hospital em cidades com sistemas de atendimento pré-hospitalar considerados bons. Tais taxas de mortalidade são extremamente elevadas, não sendo consideradas, no entanto, a qualidade de vida ou as sequelas dos sobreviventes ao evento.

Dos pacientes maiores de 65 anos que sobreviveram e tiveram alta após uma PCR no ambiente hospitalar, em um estudo envolvendo cerca de 7.000 nos Estados Unidos, 59% sobreviveram no mínimo 1 ano e 50% no mínimo 2 anos. Neste estudo, verificou-se que o período de maior vulnerabilidade para ocorrência do óbito foi o de até 3 meses após a alta hospitalar, período em que aproximadamente 50% dos óbitos ocorreram.

Uma forma bastante simplificada de informar acerca da chance de um paciente receber alta hospitalar após um episódio de parada cardiorrespiratória é a seguinte: 1 em cada 8 pacientes sobrevive a uma ressuscitação cardiorrespiratória e 1 em 3 dos que sobrevivem a uma ressuscitação consegue receber alta hospitalar, isto é, a informação acerca da alta letalidade não deve deixar de ser dada, porém fornecer os dados de modo mais compreensível pode melhorar a comunicação em um momento no qual familiares podem estar vivenciando sentimentos intensos.

A orientação de não ressuscitar vem se tornando cada vez mais aceita entre os médicos, sendo verificado que geralmente tal decisão é tomada pouco tempo antes do momento da morte. Esta decisão, de não se proceder à ressuscitação

cardiorrespiratória em caso de parada cardiorrespiratória, é, de modo geral, baseada nos seguintes conceitos:
1. Qualidade de vida do paciente no momento do agravo;
2. Chance de o paciente sobreviver a uma ressuscitação cardiopulmonar;
3. Prognóstico a longo prazo após uma ressuscitação bem-sucedida; e
4. Qualidade de vida prévia ao agravo atual causador da parada.

Apesar de o julgamento sobre a qualidade de vida ser mais bem feito pelo paciente, verifica-se que médicos tipicamente são convocados a prover informações técnicas a respeito do prognóstico esperado, de modo a tentar auxiliar o paciente e/ou os familiares a tomarem a decisão de não ressuscitar. Tal situação é muito importante quando o objetivo final é o compartilhamento de decisões. No entanto, deve-se ter em mente que o modo como se faz o compartilhamento pode mudar, e muito, a decisão final sobre esse assunto.

Uma comunicação implícita, como "Eu não acredito que a RCP vá trazer benefício ao paciente", tende a ser menos facilitadora na tomada de decisão do que uma abordagem mais clara, como "Pacientes com as condições do paciente em questão apresentam menos de 1% de chance de sobreviver até a alta hospitalar após uma RCP". No entanto, deve-se ressaltar, faz-se necessário conhecimento mais acurado sobre prognóstico nas mais variadas situações para que seja possível prover informações mais precisas a respeito do prognóstico.

Estudos comprovam que os pacientes tendem a superestimar a probabilidade de sobreviver a uma PCR, o que pode ser corroborado pelas várias mídias existentes, que, de modo irrealista, tendem a mostrar apenas, entre os casos reais, os que obtiveram êxito, e entre os programas sem relação com a realidade, demonstram taxas de sobrevivência muito superiores às mais otimistas das perspectivas,[10] de modo a justificar a alta porcentagem de pacientes que desejam medidas de RCP em estudos. Entretanto, depois de conhecerem melhor a probabilidade real de sobrevivência após uma PCR, geralmente mais baixa do que a esperada entre a população geral, muitos mudam de ideia, deixando de desejar as medidas de ressuscitação por entenderem que elas não trarão grande benefício.[11]
Além dos benefícios de tentar explicitar de modo mais claro

as reais probabilidades de sobrevivência de uma RCP, fornecer informações aos pacientes no sentido de desmistificar algumas ideias é de grande valia. Por exemplo, muitos acreditam que sobreviver a um episódio de PCR significa viver de modo vegetativo, o que não encontra respaldo na literatura, já que a grande maioria dos sobreviventes consegue retomar suas atividades de vida diária e apenas uma minoria se torna dependente por déficits neurológicos associados à RCP. Além disso, deve-se deixar claro que a morte após uma RCP não é mais dolorosa, nem tampouco os procedimentos da RCP causam desconforto ao paciente.

Em trabalhos recentes, foi verificado que os médicos não têm grande acurácia na previsão do desfecho de uma parada cardiorrespiratória. Em testes realizados mediante casos reais, no qual informações detalhadas acerca do caso eram demonstradas para um grupo de médicos, verificou-se que a capacidade de previsão dos médicos não diferia muito do controle leigo que simplesmente realizava asserções aleatórias, que girava em torno de 50%. Nessa análise, o que mais chamou atenção em relação ao modo como se tentou avaliar o prognóstico foi que os médicos utilizaram de modo sistemático modelos cognitivos que superestimavam informações como a idade e, em contrapartida, reduziam de modo arbitrário a importância de fatores como níveis séricos de creatinina, câncer, pneumonia, dependência funcional prévia e sepse.

Informações sobre a parada cardiorrespiratória, apesar de não facilitarem na decisão prévia de não ressuscitar, podem ser importantes no momento de informar sobre o prognóstico de uma ressuscitação. Por exemplo, informações como ritmo inicial da parada, duração da ressuscitação, tempo de resposta após início da ressuscitação e medicações utilizadas durante a parada podem dar informações valiosas acerca do que esperar do paciente. Dados como início da parada em assistolia ou demora em responder as medidas de ressuscitação estão associadas a um pior desfecho. Na Tabela 11.5,[12,13] constam as informações pré-parada que mais se relacionaram com prognóstico desfavorável da ressuscitação.

Em contrapartida, infarto agudo do miocárdio (IAM) na admissão hospitalar ou mesmo história de doença arterial coronariana estão associados com maior probabilidade de sobreviver à internação hospitalar.

◀ **Tabela 11.5.** Fatores pré-parada associados a um pior prognóstico

Idade	Câncer
Acidente cerebrovascular	Insuficiência cardíaca congestiva
Sepse	Creatinina > 1,5 mg/dL
Status funcional prévio	Hipotensão
Câncer metastático	Pneumonia

Em estudo realizado com cerca de 7.000 pacientes vítimas de PCR que sobreviveram à parada,[14] não foi verificada qualquer diferença na sobrevida em 1 ano após PCR entre pacientes com ritmo de parada de assistolia/atividade elétrica sem pulso (AESP) ou fibrilação ventricular (FV)/taquicardia ventricular (TV). Comparando com outra condição de alta mortalidade como a internação por insuficiência cardíaca, verificou-se que a sobrevida em 2 anos de um paciente vítima de PCR é menor do que a sobrevida do paciente internado por IC descompensada; porém, em 3 anos tal diferença se dissipa, de modo que, neste momento, ambos apresentam as mesmas chances de estarem vivos, tanto pacientes com antecedente de PCR como os que apresentam internação por IC descompensada (Figura 11.3).

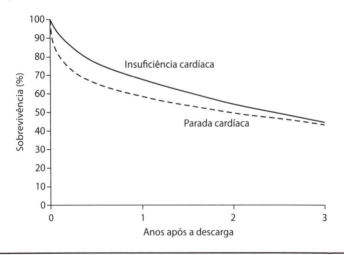

◀ **Figura 11.3.** Mortalidade após episódio de PCR e internação devido IC.

Síndrome Coronariana Aguda (SCA)

Síndrome Coronariana Aguda (SCA) é caracterizada pela American Heart Association[15] como um "grupo de sintomas clínicos compatíveis com isquemia miocárdica aguda", englobando em seu espectro clínico a angina instável (AI) e o IAM, com ou sem supradesnivelamento do segmento ST no eletrocardiograma.

Dados estimados apontam para uma prevalência em torno de 5 a 8% de doença arterial coronariana (DAC) em adultos acima de 40 anos[16], sendo este o principal fator de risco para a ocorrência de SCA. Estima-se uma incidência em torno de 400 mil episódios de IAM no Brasil, com taxa de mortalidade superior às encontradas no restante do mundo, que giram em torno de 5 a 6%. Dados internacionais apontam que, nos Estados Unidos, no ano de 2009, ocorreram cerca de 75.000 óbitos relacionados à SCA, correspondendo a cerca de 7% do total de óbitos daquele ano no país, representando cerca de um quarto dos óbitos por doenças cardiovasculares.

Dados a alta incidência e o grande impacto em termos de morbimortalidade da SCA, urge um bom preparo dos profissionais de saúde tanto no manejo de tal situação clínica como no conhecimento de informações a respeito do prognóstico da doença. Entender melhor o que esperar na evolução clínica de um paciente vítima de SCA facilita muito a capacidade do profissional de saúde em fornecer informações precisas e úteis para a família e para o paciente sobre o que esperar após a ocorrência do evento isquêmico.

Dentre os fatores que influenciam o prognóstico do paciente vítima de SCA, deve-se inicialmente tentar diferenciar o diagnóstico específico do evento isquêmico, já que cada uma das entidades (angina instável, infarto agudo do miocárdio com e sem supra de ST) tem perfil distinto de morbimortalidade, bem como tentar classificar a severidade de cada evento, de modo a melhor encaixar o caso específico nos dados existentes na literatura sobre o prognóstico do paciente. Por serem responsáveis por grande número de mortes e altos gastos institucionais, muito se investe em pesquisas acerca de prevenção, diagnóstico, estratificação de risco, abordagem clínica e/ou invasiva e prognóstico. Desse modo, frente à enxurrada de informações, pode ser difícil para o profissional de saúde selecionar as informações mais relevantes para paciente e/ou familiar vítima de algum evento isquêmico.

Informações precisas e simples acerca do prognóstico, que envolvam características intrínsecas ao paciente como ser portador ou não de determinada comorbidade (HAS, DMII, evento isquêmico prévio), informações a respeito do episódio em si (AI, IAMSSST ou IAMCSST), facilitam no momento de passar a notícia do evento agudo, lembrando sempre que o excesso de informações prejudica o entendimento das informações mais importantes e relevantes para quem as recebe. Desse modo, selecionar informações mais relevantes e simples para o entendimento do quadro é mais importante do que detalhar minúcias acerca dos diagnósticos diferenciais.

No momento da admissão hospitalar consequente a um IAM, é possível estabelecer o prognóstico durante a internação por meio do modelo preditivo Grace (Figura 11.4)[17], sendo que os dados necessários para este cálculo são de fácil obtenção. As variáveis que apresentaram maior peso, entre as oito presentes nesse modelo, foram a presença e quantificação da disfunção renal e a ocorrência de parada cardiorrespiratória no momento da admissão. Dentre os pontos a favor do uso desse modelo prognóstico, há o fato de incluir IAM com supradesnivelamento de ST e sem supradesnivelamento do ST e o fato de ter sido baseado em uma amostra de pacientes pouco selecionada, com boa representatividade dos casos vistos na prática clínica diária.

Utilizando-se dados da admissão hospitalar e da evolução clínica durante a internação consequente ao evento isquêmico miocárdico, é possível fazer inferências quanto ao prognóstico em 6 meses após a alta hospitalar do paciente vítima de qualquer apresentação de SCA (Figura 11.5).[18] Vale ressaltar que tal modelo prescinde de informações acerca do achado no eletrocardiograma de admissão ou mesmo dados de exames laboratoriais, o que facilita enormemente sua utilização. Além disso, por não incluir informações sobre a intervenção realizada durante a internação hospitalar, recebe pouca influência do acesso e da cultura local de indicar ou não procedimentos invasivos no manejo da SCA. Outros modelos que se prestam a tentar fornecer esse mesmo tipo de prognóstico, como o modelo de estratificação de risco baseado no Thrombolysis in Myocardial Infarction (TIMI), apresenta boa acurácia em fornecer a mesma informação, porém, como ponto falho, necessitam de diferentes modelos para angina instável, infarto com e sem supra de ST.

Capítulo 11 Doenças Cardíacas e Pulmonares

1. Encontrar pontos para cada fator preditivo

Killip classe	Pontos	SBP (mmHg)	Pontos	Frequência cardíaca (bpm)	Pontos	Idade (anos)	Pontos	Nível de creatina (mg/dL)	Pontos
I	0	≤ 80	58	≤ 50	0	≤ 30	0	0-0,39	1
II	20	80-99	53	50-69	3	30-39	8	0,40-0,79	4
III	39	100-119	43	70-89	9	40-49	25	0,80-1,19	7
IV	59	120-139	34	90-109	15	50-59	41	1,20-1,59	10
		140-159	21	110-149	24	60-69	58	1,60-1,99	13
		160-199	10	150-199	38	70-79	75	2,00-3,99	21
		≥ 200	0	≥ 200	46	80-89	91	> 4	28
						≥ 90	100		

Outros fatores de risco	Pontos
Parada cardíaca na admissão	39
Desvio do segmento ST	28
Níveis elevados de enzimas cardíacas	14

2. Pontos de soma para todos os fatores preditivos

| Killip classe | + | SBP | + | FC | + | Idade | + | Nível de creatina | + | Parada cardíaca na admissão | + | Desvio do segmento ST | + | Níveis elevados de enzimas cardíacas | + | Total de pontos |

3. Procure o risco correspondente a pontos de total

Total de pontos	≤ 60	70	80	90	100	110	120	130	140	150	160	170	180	190	200	210	220	230	240	≥ 250
Probabilidade de óbito hospitalar	≤ 0,2	0,3	0,4	0,6	0,8	1,1	1,6	2,1	2,9	3,9	5,4	7,3	9,8	13	18	23	29	36	44	≥ 52

◖ **Figura 11.4.** Índice prognóstico durante a internação.

Registre os pontos para cada variável no canto inferior esquerdo e some-os para calcular o escore de risco total. Encontre a pontuação total no eixo x do gráfico de nomograma. A probabilidade correspondente no eixo y é a probabilidade estimada de mortalidade por todas as causas da alta hospitalar para 6 meses.

História médica		Achados na apresentação inicial do hospital		Achados durante a internação hospitalar	
① Idade em anos	Pontos	④ Resistindo a FC (bpm)	Pontos	⑦ Creatinina sérica inicial	Pontos
≤ 29	0	≤ 49,9	0	0-0,39	1
30-39	0	50-69,9	3	0,4-0,79	3
40-49	18	70-89,9	9	0,8-1,19	5
50-59	36	90-109,9	14	1,2-1,59	7
60-69	55	110-149,9	23	1,6-1,99	9
70-79	73	150-199,9	35	2-3,99	15
80-89	91	≥ 200	43	≥ 4	20
≥ 90	100				
② História de insuficiência congestiva	24	⑤ Pressão arterial sistólica		⑧ Elevação de enzimas cardíacas	15
		≤ 79,9	24		
		80-99,9	22	Não há intervenção	
③ História de infarto do miocárdio	12	100-119,9	18	⑨ coronária intra-hospitalar	14
		120-139,9	14		
		140-159,9	10		
		160-199,9	4		
		≥ 200	0		
		⑥ Depressão do segmento ST	11		

Pontos
① _____
② _____
③ _____
④ _____
⑤ _____
⑥ _____
⑦ _____
⑧ _____
⑨ _____

Mortalidade prevista para todas as causas da alta hospitalar para 6 meses

Probabilidade (eixo y: 0 a 0,50)
Escore de risco total (eixo x: 70 a 210)

Escore de risco total _____ (soma dos pontos)
Risco de mortalidade _____ (do traçado)

◀ **Figura 11.5.** Índice prognóstico em 6 meses após alta hospitalar devido SCA.

Apesar de os modelos tentarem prover informações sobre o prognóstico, vale ressaltar que cada paciente é único e sofre influência por diversos fatores que podem ser imensuráveis na prática clínica. Acesso a boas práticas clínicas, modo de funcionamento da assistência médica ou mesmo capacidade de atendimento rápido e efetivo das intercorrências associadas à SCA são fatores de aferição impossível e, portanto, levam a modificações significativas na capacidade de previsão dos modelos prognósticos, de modo que o melhor modo de aumentar sua capacidade preditiva é por meio de sua validação nos diferentes serviços, associado à padronização de condutas por meio de diretrizes e protocolos institucionais.

Bibliografia

1. Mccarthy M, Hall JA, Ley M. Communication and choice in dying from heart disease. J R Soc Med. 1997;90:128–131.
2. Levy WC, Mozaffarian D, Linker DT, Sutradhar SC, et al. The Seattle Heart Failure Model. Circulation. 2006;113:1424-1433, published online before print March 20, 2006.
3. Reisfield GM, Wilson GR. Prognostication in heart failure #143.J Palliat Med. 2007 Feb;10(1):245-6.
4. Hunt SA, Abraham WT, Chin MH, Feldman AM, Francis GS, Ganiats TG, et al. ACC/AHA 2005 guideline update for the diagnosis and management of chronic heart failure in the adult: a report of the American College of Cardiology/American Heart Association Task Force on Practice Guidelines (Writing Committee to Update the 2001 Guidelines for the Evaluation and Management of Heart Failure). American College of Cardiology Web Site. Disponível em: http://www.acc.org/clínical/guidelines/failure//index.pdf.
5. Adler ED, Goldfinger JZ, Kalman J, Park ME, Meier DE. Palliative Care in the Treatment of Advanced Heart Failure. Circulation. 2009;120:2597-2606, published online before print December 21, 2009.
6. Tarasoutchi F, Montera MW, Grinberg M, Barbosa MR, Piñeiro DJ, Sánchez CRM, et al. Diretriz Brasileira de Valvopatias – SBC 2011/I Diretriz Interamericana de Valvopatias – SIAC 2011. Arq Bras Cardiol 2011; 97(5 supl. 1): 1-67.
7. Ross J Jr, Braunwald E. Aortic stenosis. Circulation. 1968 Jul;38(Suppl):61-7.
8. Monin JL, Lancellotti P, Monchi M, Lim P, Weiss E, Piérard L, Guéret P. Risk score for predicting outcome in patients with asymptomatic aortic stenosis. See comment in PubMed Commons below Circulation. 2009 Jul 7;120(1):69-75.
9. Ebell MH, Becker LA, Barry HC, Hagen M. Survival After In-Hospital Cardiopulmonary Resuscitation: A Meta-Analysis. Journal of General Internal Medicine. 1998;13(12):805-816. doi:10.1046/j.1525-1497.1998.00244.x.
10. Diem SJ, Lantos JD and Tulsky JA. Cardiopulmonary resuscitation on television miracles and misinformation. N Engl J Med, June 13,1996;334:1578-82.

11. Murphy DJ, Burrows D, Santilli S, Kemp AW, et al. The influence of the probability of survival on patients' preferences regarding cardiopulmonary resuscitation. N Engl J Med, 1994;330:545-49.
12. Granger CB, Goldberg RJ, Dabbous O, et al. Predictors of hospital mortality in the global registry of acute coronary events. Arch Intern Med. 2003;163(19):2345-2353. doi:10.1001/archinte.163.19.2345.
13. Granger CB, Goldberg RJ, Dabbous O, et al. Predictors of hospital mortality in the global registry of acute coronary events. Arch Intern Med. 2003;163(19):2345-2353. doi:10.1001/archinte.163.19.2345.
14. Chan OS, Nallamothu BK, Krumholz HM, et al. Long-term outcomes in elderly survivors of in-hospital cardiac arrest. N Engl J Med, March 14, 2013 368(11):1019.
15. American Heart Association. What is acute coronary syndrome? Disponível em: <http://www.americanheart.org/presenter.
16. Polanczy CA, Ribeiro JP. Coronary artery disease in Brazil: contemporary management and future perspectives. Heart. 2009;95(11):870-6.
17. Granger CB, Goldberg RJ, Dabbous O, et al. Predictors of hospital mortality in the global registry of acute coronary events. Arch Intern Med. 2003;163(19):2345-2353. doi:10.1001/archinte.163.19.2345.
18. Eagle KA, Lim MJ, Dabbous OH, et al. A validated prediction model for all forms of acute coronary syndrome: estimating the risk of 6-month post discharge death in an international registry. JAMA. 2004;291(22):2727-2733. doi:10.1001/jama.291.22.2727.

12

Doenças Infecciosas

Simone de Barros Tenore
Paulo Roberto Abrão Ferreira
Haniel Passos Eller
João Antônio Gonçalves Garreta Prats

Introdução

"É mais fácil desintegrar um átomo que um preconceito."

Albert Einstein

"A discriminação demora horas a ser construída, mas séculos para ser destruída."

Augusto Cury

As epidemias ou doenças infecciosas de grande magnitude tiveram uma influência histórica comparável àquela das guerras, revoluções e crises econômicas. A peste negra (Figura 12.1), por exemplo, ao longo de suas três pandemias, teve enormes implicações econômicas, religiosas, culturais e políticas para as sociedades afetadas. No seu curso, crenças religiosas e práticas médicas foram questionadas, as autoridades públicas testadas e a malha social tensionada.

◀ **Figura 12.1.** Monumento à peste negra – Viena, Áustria.

As dificuldades em informar sobre o diagnóstico de uma doença infecciosa estão relacionadas intimamente com o contexto social, além das questões científicas. Isso é especialmente marcante quando tratamos da infecção pelo vírus da imunodeficiência humana (HIV) e doenças como a tuberculose. Existem angústias relacionadas ao estigma, à transmissão e às expectativas incorretas.

Este capítulo tem como objetivo abordar algumas das questões pertinentes à peculiar complexidade na comunicação de más notícias em doenças infecciosas, com a discussão de casos reais.

Caso 1 – Infecção pelo HIV

Uma mulher de 40 anos adentra o consultório. Ela retorna para checar o resultado do seu segundo teste para detecção de infecção pelo HIV. Ela conta a sua história: casada há 25 anos, com filhos adolescentes. Seu maior problema sempre foi a dificuldade em perder peso. Tinha hérnias inguinais e umbilical, que não haviam sido operadas em razão da obesidade, e isso em muito afetava sua autoestima. Havia combinado com o cirurgião que emagreceria e que, então, seria submetida à cirurgia corretora. Dedicou-se bastante a dieta e exercícios e começou a perder peso. Quando estava bem mais magra, procurou novamente o cirurgião. Durante o exame físico, já discutindo a programação da cirurgia, o médico percebeu a presença de linfonodos inguinais aumentados. Disse à paciente que pediria algumas sorologias, além dos exames pré-operatórios, apenas para descartar algo estranho. A paciente consentiu. O resultado do primeiro exame para detecção da infecção pelo HIV veio reagente. O teste confirmatório (segundo) também.

Breve contexto do HIV

A infecção pelo HIV pode ser considerada a grande epidemia da modernidade. Surgiu no início dos anos 1980, com grande repercussão social moldada por medo, preconceitos e interesses. Considerada inicialmente uma doença de homens que fazem sexo com homens, em muitas situações caracterizados "culpados" por adquirirem a doença. Há até mesmo filmes que abordam as questões relacionadas aos primeiros anos da epidemia pelo HIV, destacando-se *Filadélfia* (1998) e, o mais recente, *Clube de Compras Dallas* (2013). Com o tempo, a ciência atacou os preconceitos e demonstrou que a doença não distingue classe social, gênero ou idade. Entretanto, especialmente para os que viveram a descoberta do HIV, ainda persiste a imagem anterior, preconceitos e outras questões relacionadas ao diagnóstico. Hoje estima-se que tenhamos aproximadamente 35 milhões de pessoas vivendo com HIV no mundo, sendo 734 mil no Brasil.[1]

Sobrevida dos pacientes com infecção pelo HIV

Uma importante questão a ser abordada muitas vezes será a importância da infecção pelo HIV na sobrevida do paciente. Vários estudos têm comparado a mortalidade por causas não relacionadas à síndrome da imunodeficiência adquirida (AIDS) e a expectativa de vida entre pacientes sadios e infectados pelo HIV.[2]

Wada et al., em 2014, analisaram duas grandes cortes de pacientes com HIV, o Multicenter AIDS Cohort Study e o Women's Interagency HIV Study. Eles demonstraram que os pacientes com HIV, que iniciam precocemente a terapia antirretroviral (CD4 > 350), tem uma sobrevida quase idêntica a pacientes sadios (*hazard ratio* = 1,01).[2]

Samji et al. estudaram as expectativas de vida em pacientes americanos e canadenses com infecção pelo HIV utilizando dados do coorte NA-ACCORD de 2000 a 2007. Eles concluíram que um paciente de 20 anos, HIV-positivo em uso de antirretrovirais, tem uma expectativa de vida em torno de 70 anos. Muito próxima da população norte-americana não portadora dessa infecção.[3]

Essas informações podem ser bastante tranquilizadoras para pacientes com diagnóstico recente e também importantes quando considerados os benefícios do tratamento precoce.

Qualidade de vida

Os pacientes que vivem com HIV, de fato, têm menor qualidade de vida do que aqueles que não têm a doença. Estudo recente de Miners et al., publicado no Lancet HIV em 2014, analisou a questão da qualidade de vida relacionada à saúde, nesse contexto. Eles analisaram dois estudos transversais (ASTRA e HSE), com um total aproximado de 12.000 pacientes no Reino Unido. Nesse estudo, os pacientes com infecção pelo HIV tiveram menores escores de qualidade de vida, principalmente nos domínios de ansiedade e depressão. Um dado importante é que a redução dos escores com o aumento da idade não foi maior do que na população em geral.[4]

Em resumo, os campos de ansiedade e depressão são os principais quando falamos da menor qualidade de vida em pacientes com HIV. Isso contrasta com a impressão de pior saúde física como componente principal. Envelhecer com infecção pelo HIV também não parece significar maior perda de qualidade de vida.

Efeitos adversos da terapia antiviral, adaptação e personalização

Os efeitos adversos da terapia antirretroviral são absolutamente variados. O tratamento adequado depende da individualização na escolha do esquema. Icterícia leve pode ser desconfortável para alguns, mas perfeitamente aceitável para outros. Sonolência pode ser um problema sério para pacientes que têm jornadas de trabalho noturnas, por exemplo. Vale ressaltar que o número de pílulas para a maioria dos esquemas diminuiu bastante. A 1ª linha de tratamento hoje no Brasil consiste em pílula única contendo três medicamentos em uma só tomada noturna. É interessante informar isso aos pacientes. Há ainda vários esquemas para uso uma vez ao dia, com 3 a 6 pílulas, sendo válida a comparação ao uso de medicamentos em doenças como hipertensão e diabetes melito.[5]

Caso 1 (continuação)

Após a notícia, a paciente passa a discorrer sobre lembranças que tem do marido. Ele agora é suspeito. Ela passa a rever situações em sua cabeça, uma após a outra. Elas surgem incontrolavelmente. Uma palavra, um olhar, uma "desculpa". Ela passa a uma espécie de "revisão" ética e moral do marido. Ela diz que sempre foi fiel, que eles têm filhos, se pergunta como isso poderia ter acontecido. Quando o foco da entrevista muda, ela pergunta se o peso que perdeu foi pela doença e se engordará de novo com o tratamento.

Sigilo

É importante ressaltar a necessidade do sigilo em relação ao diagnóstico da infecção pelo HIV. O diagnóstico deve ser dado ao paciente somente e este deve ter a autonomia para decidir com quem compartilhar, respeitando-se os mesmos princípios de outras doenças. Notas no prontuário sobre quem conhece e quem desconhece o diagnóstico do paciente são importantes.

Com certa frequência, há outro indivíduo sob risco de transmissão relacionado à paciente em questão. No contexto da infecção pelo HIV, parceiros sexuais e filhos podem estar sob risco. Nesse caso, o risco justifica a comunicação do diagnóstico a esta segunda pessoa. Muitos especialistas no país recomendam dizer ao paciente que deve contar ao parceiro(a) e colocar-se à disposição para esclarecer dúvidas. Com frequência, se diz ao paciente que se ele não comunicar, a equipe o fará, com base no princípio dos potenciais danos causados ao indivíduo exposto. Porém, não existe clara recomendação para comunicação, devendo ser individualizada, respeitando-se os princípios da bioética.[6]

Limitações e hábitos

Não há limitações em relação às atividades da vida diária relacionadas especificamente à infecção pelo HIV. As recomendações sobre hábitos de vida devem ser semelhantes àquelas para a população geral e relacionadas à prevenção da transmissão da doença. Importante aconselhar sobre o potencial de transmissão do HIV para outras pessoas e sua prevenção. Também são relevantes os cuidados para que os pacientes não se exponham ao risco de contrair novas infecções sexualmente transmissíveis (IST) ou outras doenças que podem piorar a saúde do indivíduo.

A infecção pelo HIV e seu tratamento estão relacionados ao aumento das morbidades associadas ao envelhecimento. A saber, doença cardiovascular e seus fatores de risco, câncer, osteoporose, hipogonadismo, demência e outros. Adaptação do estilo de vida para o envelhecimento saudável não poderia ser mais enfatizada. Esse aspecto será mais bem discutido adiante, neste capítulo. É importante, no contexto da prevenção da doença, orientar o uso de preservativos e a comunicação do diagnóstico a parceiros sexuais.[6]

Dieta, ganho de peso e autoimagem

Há, com frequência, expectativa de ganho de peso com o tratamento. A AIDS frequentemente cursa com perda de peso importante, mesmo na ausência de doença oportunista. Essa perda de peso, geralmente, é revertida parcial ou completamente com o tratamento. Para muitos pacientes, isso pode ser uma questão importante para sua autoimagem e, consequentemente, qualidade de vida relacionada à ansiedade e depressão supramencionada.

Entretanto, um grupo brasileiro (Lazzareti et al.) já demonstrou em ensaio clínico randomizado que uma intervenção dietética desde o início do tratamento é eficaz em anular o ganho de peso do início do tratamento e até mesmo reduzir a ocorrência de dislipidemia.

Períodos do Tratamento da Infecção pelo HIV

É possível dividir as fases do tratamento do HIV do seguinte modo:[5]

1º período

◀ Doenças oportunistas e adaptação

Esse período inicial ocorre no diagnóstico tardio, com CD4 em níveis bastante reduzidos. O paciente pode estar sob alto risco de doença oportunista ou em recuperação de uma delas. O número de pílulas por dia geralmente é alto, incluindo os antirretrovirais, tratamentos e profilaxias. Nessa fase, é importante reforçar a adesão. Uma abordagem interessante é dizer que, com o tempo, as coisas melhorarão (estado geral, energia, peso) e o número de medicamentos diminuirá gradativamente. É interessante reforçar que este é o período mais difícil e, se superado, o que vem depois ficará muito mais fácil. Os encontros serão mais frequentes para ajudar no processo.

2º período

◀ Intermediário/transição

Com o tratamento regular e a melhora imunológica, muitos pacientes apresentam melhora da qualidade de vida, ganho de peso e passam a acreditar mais nos benefícios do tratamento. Entretanto, ainda podem surgir doenças oportunistas com a recuperação imunológica, notadamente herpes-zóster e tuberculose. Nesses casos, é importante ressaltar que não estão relacionadas ao tratamento. e sim à melhora do sistema imune. Já houve algum tempo para luto e adaptação para muitos. Mas ainda podem surgir mais questões sobre relação sexual, família, preconceitos, trabalho e hábitos de vida.

3º período

◀ Convalescência

Demarcado por melhora imunológica, carga viral do HIV indetectável e boa adaptação ao tratamento e acompanhamento. Daqui em diante, a ênfase será principalmente em prevenção e promoção da saúde. Os encontros serão menos frequentes e, novamente, é válida a comparação com o acompanhamento de outras doenças crônicas como diabetes melito e hipertensão. Em geral, os pacientes não terão mais problemas com doenças oportunistas.[5]

Caso 2 – Infecção pelo HIV em Idosos

Uma mulher de 60 anos, viúva há 3, teve sua última relação sexual com o marido há 4 anos. Iniciou com uma falta de ar há 3 semanas, com piora do estado geral, procurando o pronto-socorro. Em investigação inicial, foi solicitada radiografia de tórax. Esse exame mostra infiltrado intersticial difuso bilateral, que se inicia nas áreas peri-hilares e se espalha. Nos exames laboratoriais, viu-se DHL 900 UI/mL. Suspeitando-se de pneumocistose, em paciente previamente hígida, solicita-se permissão para investigação de AIDS e a paciente concorda. Recebe-se resultado de anti-HIV reagente, com número de CD4 70 céls./mm3. Paciente questiona o diagnóstico, tem dificuldades em entender como isso pode ter acontecido e busca uma explicação médica pela equipe.

Grande parte da literatura considera o paciente vivendo com o HIV idoso, se idade acima dos 50 anos. Com o aumento da sobrevida dos portadores do HIV, consequente à terapia antirretroviral (TARV) e o aumento do número de casos por melhores técnicas de rastreio, a proporção de idosos infectados aumentou substancialmente. Estima-se que no mundo haja 4 milhões de pacientes vivendo com HIV, acima dos 50 anos de idade. As mesmas técnicas de abordagem do paciente vivendo com HIV utilizadas para adultos, que abordamos anteriormente neste capítulo, podem ser utilizadas para idosos, ressaltando-se alguns pontos:

1. Atraso no diagnóstico, muitas vezes, por baixa suspeita nessa idade.
2. Utilização de TARV em idosos é complicada pela farmacocinética e pela polifarmácia, já que esse grupo etário utiliza diversas outras medicações.
3. Resposta imune ao HIV e à TARV, que varia com a idade, sendo menor em idosos.
4. Mortalidade por HIV e causas não relacionadas com a AIDS.

A exposição sexual continua sendo o modo mais comum de transmissão do HIV, mesmo em idosos, sendo uso de drogas injetáveis e transfusão de sangue muito incomuns. Assim como no caso clínico descrito, a transmissão para mulheres idosas ocorre, em sua maioria, por relações heterossexuais com seus parceiros infectados. Nessa idade, não se usam métodos contraceptivos de barreira, o que as deixa vulneráveis ao HIV. Idosos são pacientes em que pouco se suspeita de infecção pelo HIV, o que atrasa seu diagnóstico em razão da negligência do potencial de contraírem HIV nessa faixa etária, muitas vezes os pacientes recebem o diagnóstico quando a doença já progrediu para AIDS.[7]

Um dos grandes desafios da introdução de TARV no idoso é a polifarmácia, que é a tomada de cinco ou mais medicamentos. Isso aumenta o risco de efeitos adversos e interações medicamentosas, que podem contribuir para *delirium*, quedas, fraturas e baixa adesão ao novo tratamento instituído. O idoso comumente já toma diversos medicamentos pelas suas inúmeras comorbidades. A introdução de, no mínimo, três outras medicações, que interagem fortemente com as de uso habitual, faz esse tratamento ser desafiador.[7]

Mesmo sabendo de todos os efeitos colaterais da TARV e suas complicações, preconiza-se uma carga viral indetectável, obrigatoriamente. Essa é a meta ideal, pois mantendo-se o controle desse estado inflamatório crônico, obtêm-se melhores resultados. Portanto, quanto mais precoce tratamos, maior a chance de interromper os processos de envelhecimento do paciente, causados pela aceleração do envelhecimento imune que o HIV gera. Em suma, os benefícios de manter a carga viral indetectável superam os riscos da polifarmácia relacionada à TARV.

Convencer o paciente disso, deve ser feito por meio de constantes revisões das medicações e adequação de outros suplementos e tratamentos. Priorizar sempre tratamentos não medicamentosos para reduzir o risco de polifarmácia e garantir a adesão do paciente à TARV. Um exemplo disso seria optar por psicoterapia em vez de antidepressivos, alimentação saudável em vez de suplementos vitamínicos e até mesmo atividade física e tratamentos fisioterápicos analgésicos em vez de fármacos para dor.

Pacientes idosos têm mortalidade associada ao HIV maior do que pacientes jovens. O sucesso da TARV vem mudando os padrões de morbidade e mortalidade em idosos vivendo com HIV, declinando as mortes por AIDS e infecções oportunistas. Esses idosos infectados mostram ter um risco maior de desenvolver as comorbidades típicas dos idosos, pelo próprio estado inflamatório crônico do paciente, tais como hipertensão, dislipidemia, nefropatia e osteoporose. Portanto, a mortalidade por causas não relacionadas à AIDS nesta população vem aumentando, chegando a níveis próximos daquela por AIDS.

Dar o suporte necessário ao paciente e convencê-la dos benefícios da TARV, mesmo sabendo dos desafios que a própria idade e limitação podem trazer, é a melhor abordagem para trazer esperança a esses idosos.[7]

Caso 3 – Tuberculose

Um paciente masculino de 27 anos sempre se achou muito saudável, quando começou a se sentir muito cansado. Numa situação normal, diz que teria ido ao médico, mas, como estava com muito trabalho, convenceu-se de que era apenas uma questão de fadiga acumulada. Ia perdendo peso, mas também minimizou esse sinal pelo seu ritmo de trabalho. Nos últimos tempos, saía cada vez menos com os amigos e com a família. Tinha de fazer um grande esforço para pequenas coisas.

Apenas procurou ajuda médica quando estava completamente exausto. Sentia-se febril, dizendo que parecia que tinha gripe todos os dias, a partir do meio da tarde e sem melhora. As febres eram muito altas e transpirava estranhamente à noite, enquanto dormia. Ao fazer mais exames, numa radiografia de tórax, ficou explícito que existiam grandes alterações. Diagnosticada uma tuberculose.

O Paciente ficou muito assustado, chorou bastante, perguntando ao médico se havia tratamento, quais seriam as consequências, o que ele devia informar as pessoas à sua volta, com quem teve contato. Ele se sentia pior, pois se tratava de uma doença contagiosa e pensava a quantas pessoas poderia ter transmitido o bacilo.

Breve Contexto da Tuberculose

A tuberculose é uma doença causada pela bactéria *Mycobacterium tuberculosis* que comumente afeta os pulmões, podendo afetar outras partes do corpo. Esforços mundiais para o combate à doença vêm proporcionando uma gradativa diminuição de sua incidência mediante viabilização de diagnóstico, tratamento e prevenção. Mesmo assim, ainda permanece como principal causa de morte no mundo. Estima-se que mais de 2 bilhões de pessoas (um terço da população mundial) estejam infectados com o *M. tuberculosis*, com epidemiologia bastante variada no mundo. Fatores como a pobreza, infecção pelo HIV, resistência aos medicamentos são os principais contribuintes para ressurgimento global da tuberculose. Cerca de 95% dos casos ocorrem em países em desenvolvimento, sendo 1 em cada 14 casos em pacientes vivendo com HIV e. destes, 78% na África.[8]

Como abordar o caso?

"...Foi muito difícil devido aos preconceitos associados à tuberculose. Achava que esta doença já nem existia em países como o nosso... tive vergonha de ter essa doença. Não queria que ninguém soubesse, pois achei que as pessoas poderiam me julgar e se afastar de mim..."

Na abordagem inicial, devem-se identificar os paradigmas e preconceitos que o paciente tem sobre a doença, percebendo em que ponto o paciente se encontra em seu entendimento. Quais informações ele deseja saber sobre seu diagnóstico para dar a dose certa da verdade, a qual ele precisa saber, respeitando seu próprio passo. Deve-se sempre mostrar a possibilidade de cura e de prognóstico favorável, dando-lhes esperança. Ganhar a confiança, sendo empático ao paciente, facilita a adesão ao tratamento, garantindo o sucesso terapêutico, visto que se trata de um tratamento prolongado e, muitas das vezes, com efeitos colaterais indesejáveis.[9]

Deve-se encorajar o paciente para identificar todos seus contactantes, não escondendo essa situação, mesmo que isso possa ser vergonhoso para ele. Há necessidade de orientar, tratar ou realizar profilaxia dos que tiveram contato com essa doença transmissível. Há um dilema nessa situação, pois caso se esgotem as vias de comunicação e, mesmo assim, o paciente permaneça com intenção de esconder o diagnóstico de seus próximos, o sigilo deve ser quebrado, pois configura um motivo justo, tratando-se de uma doença de notificação compulsória, de acordo com o Código de Ética Médica (Cap. 1, XI).[10]

Envolver familiares, com consentimento do paciente, é importante para traçar um plano de cuidados em conjunto, garantindo melhor adesão e coparticipação. Mas não se deve esconder do paciente seu diagnóstico, respeitando, assim, sua autonomia.[11]

> "...devo dizer que, em primeiro lugar, recebi o diagnóstico como se se tratasse de uma péssima notícia... depois, me acalmei um pouco até começar a me sentir aliviado, pois já tinha razão para o meu mal-estar..."

Uma má notícia deve vir acompanhada de uma esperança e suporte. A tuberculose, apesar de sua alta letalidade, apresenta bons índices de cura e de sobrevida. Isso deve ser abordado de modo claro com o paciente que, neste momento, está angustiado, pois acaba de receber um diagnóstico difícil. O suporte seria demonstrar a disponibilidade de recursos, de profissionais, a acessibilidade aos meios de tratamento e a importância de um seguimento correto. Ganhar a confiança do paciente não é uma tarefa fácil e deve ser individualizada, sempre buscando-se uma conexão importante com suas crenças, seus valores e sua história de vida.[11]

Informações de saúde, dadas de maneira correta, são suficientes para garantir a participação do paciente nas decisões clínicas e prepará-lo para as transições de vida necessárias nesses momentos. O grau de conhecimento do paciente sobre a tuberculose e a importância de concluir o tratamento, mesmo se sentindo bem, refletirá na tão importante adesão ao tratamento. Isso impedirá a disseminação da doença e diminuirá o índice de resistência às medicações.[12]

A adesão incompleta ao tratamento tem sido identificada como o problema mais grave no controle da tuberculose e um obstáculo importante para a eliminação da doença. Estima-se que metade dos pacientes não segue o tratamento de modo correto. A duração do tratamento é longa (geralmente 6 meses ou mais), com terapia combinada (diversos medicamentos) e com efeitos colaterais indesejáveis. Além disso, muitos pacientes experimentam uma melhoria rápida dos sintomas, o que pode diminuir a percepção da necessidade de se continuar o tratamento.[8]

Entre as estratégias identificadas para melhorar a adesão, estão uma comunicação efetiva entre profissional de saúde e o paciente, proporcionando uma abordagem individualizada, centrada no paciente. A estratégia de tratamento sob observação direta (*Direct Observed Treatment* – DOT) é uma ferramenta-padrão no controle da tuberculose, utilizada mundialmente. Esse procedimento maximiza a adesão, em que equipes de profissionais treinados supervisionam pacientes na tomada das medicações. O DOT é uma estratégia que exige um compromisso significativo de recursos, mas têm se mostrado muito eficaz, diminuindo taxas de resistência e recidiva, apesar da manutenção das taxas de cura e de interrupção do tratamento.[9]

A educação do paciente feita por meio de uma comunicação efetiva, linguística e culturalmente adaptada, ainda figura como a melhor estratégia. Portanto, esforços nesse sentido devem ser dirigidos a fim de identificar a percepção das barreiras do paciente para a adesão.[12]

"...conhecer o problema e saber que tinha solução foi essencial para mim..."

Neste momento, o paciente se mostra acolhido, pois entendeu a má notícia a ele dada e, portanto, seguirá o tratamento corretamente, obtendo sucesso. É muito importante criar esse ambiente de suporte, tirando as dúvidas, mostrando-se aberto ao diálogo e, principalmente, mostrando-se disponível. De nada adianta um brilhante diagnóstico sem um suporte que levaria a uma adesão e consequente sucesso terapêutico.

Bibliografia

1. Wada N, et al. Cause-specific mortality among HIV-infected individuals, by CD4+ cell count at HAART initiation, compared with HIV-uninfected individuals. AIDS 28:257-265. 2014.
2. Miners A, Phillips A, Kreif N, Rodger A, Speakman A, Fisher M, Anderson J, Collins S, Hart G, Sherr L, Lampe FC. Health-related quality-of-life of people with HIV in the era of combination antiretroviral treatment: a cross-sectional comparison with the general population. Lancet HIV. 2014 Oct;1(1):e32-40.
3. Samji H, et al. Closing the gap: increases in life expectancy among treated HIV-positive individuals in the United States and Canada. PLOS ONE 2014 8(12); e81355.

4. Lazzaretti RK, Kuhmmer R, Sprinz E, Polanczyk CA, Ribeiro JP. Dietary intervention prevents dyslipidemia associated with highly active antiretroviral therapy in human immunodeficiency virus type 1-infected individuals: a randomized trial. J Am Coll Cardiol 2012 Mar 13;59(11):979-88.
5. Ministério da Saúde. HIV/AIDS: Protocolo Clínico e Diretrizes Terapêuticas, 2015. Disponível em: http://www.aids.gov.br/pcdt (acessado em 30 jun 2016).
6. Joint United Nations Programme on HIV/AIDS. The Gap Report. September 2014. Disponível em: http://www.unaids.org/sites/default/files/media_asset/UNAIDS_Gap_report_en.pdf (acessado em 30 jun 2016).
7. Greene M, Justice AC, Lampiris HW, Valcour V. Management of human immunodeficiency virus infection in advanced age. JAMA 2013; 309:1397.
8. Dheda K, Barry CE 3rd, Maartens G. Tuberculosis. Lancet 2016; 387:1211.
9. World Health Organization. Global Tuberculosis Report 2014.
10. Conselho Federal de Medicina. Código de ética médica: Resolução CFM nº 1.931, de 17 de setembro de 2009/Conselho Federal de Medicina. – Brasília: Conselho Federal de Medicina, 2010.
11. Martis L, Westhues A. A synthesis of the literature on breaking bad news or truth telling: potential for research in India. Indian Journal of Palliative Care. 2013;19(1):2-11. doi:10.4103/0973-1075.110215.
12. Ptacek JT, Eberhardt TL. Breaking bad news. A review of the literature. JAMA. 1996 Aug 14;276(6):496-502. Review. PubMed PMID: 8691562.

13

Comunicação de Más Notícias em Transtornos Psiquiátricos

José Cássio do Nascimento Pitta
Rafael Latorraca

Introdução

O objetivo deste capítulo é discutir as melhores condições para a comunicação dos diagnósticos relacionados aos transtornos mentais, tanto para o paciente como para seus familiares, tendo em vista os riscos estigmatizantes nesta área.

Essa comunicação mais apropriada pode possibilitar um tratamento mais efetivo. O diagnóstico deve aliviar o sofrimento dessas pessoas, em que o desconhecimento do problema acentua a angústia, também, por não saber o que está acontecendo e quais as causas de seu sofrimento. O diagnóstico permite ao paciente e sua família escolher entre os tratamentos disponíveis, assim como enfrentar o prognóstico esperado. Contudo, muitos profissionais ainda utilizam essa comunicação como fator estigmatizante ao usar o diagnóstico como uma espécie de maldição inexorável.

No estudo da ética, podemos encontrar uma direção para usarmos a questão diagnóstica sempre no benefício do paciente e não de modo a diminuirmos suas esperanças, seus sonhos e sua autoestima. Como gostaríamos de receber a notícia se estivéssemos do outro lado da mesa? O filósofo prussiano Immanuel Kant (1724-1804) apresentou uma ideia simples, porém poderosa, como agir de maneira ética, a qual se pode utilizar em nossa função de comunicar más notícias. Trata-se do imperativo categórico:[1] "Age como se a máxima de tua ação devesse tornar-se uma lei universal". Ou seja, o modo como tratamos e nos comunicamos com nossos pacientes será ético se puder servir de modelo para todos os outros profissionais de saúde. Contudo, na complexidade da prática da arte médica, dominar o conhecimento técnico da especialidade e buscar cuidar do outro do mesmo modo que gostaríamos de ser cuidados pode ainda não ser suficiente.

Fatores tais como os culturais, escolaridade, valores pessoais, disfunções neurológicas, capacidade de crítica da realidade e fatores psicodinâmicos influenciam muito na comunicação com o interlocutor, pois modificam o quanto a pessoa está disposta ou é capaz de assimilar aquilo que ouve. Por sermos diferentes de nossos pacientes, a simples técnica de pensarmos no modo que gostaríamos de ouvir as más notícias se estivéssemos do outro lado pode nos levar a falhar de modo significativo. Por exemplo, ao lidarmos com um paciente em término de investigação do primeiro episódio psicótico com diagnóstico recém-estabelecido de esquizofrenia, é necessário entender, primeiro, o significado do termo "esquizofrenia" para ele e seus familiares. Na maioria das vezes, a ideia do significado do termo difere de modo significativo entre as pessoas. Se negligenciarmos esse fator, há uma grande possibilidade de o paciente ouvir as informações, sem qualquer assimilação ou, ainda pior, poderá nos incluir entre os personagens de seu delírio persecutório. A questão colocada é que não é possível nos comunicar efetivamente se não buscarmos uma compreensão empática, ou seja, nos sentir na "pele" do paciente e ver o mundo através de seus olhos.

Se não conseguimos genuinamente ter empatia com a pessoa na nossa frente, não teremos sucesso na comunicação. Infelizmente, isso ocorre frequentemente com profissionais de saúde no cuidado de pacientes portadores de transtornos mentais. Muitas vezes, o profissional, ao apenas imaginar a possibilidade de se envolver com questões de natureza psiquiátrica, evoca mentalmente uma série de preconceitos negativos em relação àquela pessoa, resultando em um "muro emocional". Se o profissional "não demolir esse muro" por meio de um esforço para respeitar e se interessar pela pessoa na sua frente, não haverá possibilidade alguma de uma comunicação profícua.

É comum a crença segundo a qual psiquiatras são bons na comunicação de más notícias em razão do treinamento em habilidades de compreensão e manejo das fortes reações emocionais dos pacientes e seus familiares. Embora não seja comum comunicar diagnósticos clínicos graves na prática clínica do psiquiatra, no contexto de interconsulta hospitalar são frequentes as situações de negação ou dissociação frente a um diagnóstico recente grave ou até da condição terminal. Além disso, no próprio contexto da prática clínica psiquiátrica é relativamente comum a tarefa de comunicar más notícias nos quadros de prognóstico difícil, tais como as demências, a esquizofrenia, o transtorno bipolar grave, entre outras condições com implicações marcantes ao longo da vida.

O treinamento em comunicação na formação em psiquiatria ocorre como parte do treinamento em psicoterapia e das técnicas de entrevista supervisionadas. Nesse aprendizado, talvez a principal diferença seja a importância dada ao desenvolvimento da habilidade de empatia como fator de qualidade do profissional, sem a qual é quase impossível extrair e manejar dados clínicos fundamentais para o diagnóstico e manejo clínico do caso.

Qual o Tamanho do Problema?

Desde a primeira versão do *Global Burden of Diseases, Injuries, and Risk Factors*, em 1990, até sua última atualização em 2010, há maior tendência em considerar o impacto de qualquer agravo à saúde não apenas em razão da mortalidade (anos de vida perdidos, ou do inglês, YLL), mas também pelos anos vividos com incapacidade (YLD). Nesse período de 20 anos, houve um aumento de 45% de YLD devido aos transtornos mentais e de uso de substâncias, atualmente responsáveis por 21,2% dos anos vividos com incapacidade por todas as causas. Esse impacto varia muito ao redor do mundo, de 36,7% no Qatar a 15,4% na Alemanha.[2] Na maior parte do mundo, os principais responsáveis por essas estatísticas são o transtorno depressivo, transtornos de ansiedade, esquizofrenia e transtorno bipolar. Contudo, há uma extrema variação do impacto dos transtornos de uso de álcool e outras substâncias entre diferentes países. Por exemplo, o uso de álcool na Rússia causa 2,9% dos anos vividos com incapacidade por todas as causas, enquanto no Irã esse número cai para míseros 0,3%. Já o uso de drogas, exceto o álcool, varia de 13,5% no Qatar a apenas 0,6% na Slovênia.[2] Esses dados indicam que qualquer profissional de saúde lidará frequentemente com casos de saúde mental em sua prática clínica.

A **esquizofrenia** é o mais comum dos transtornos psicóticos, nos quais ocorre a perda do contato com a realidade. Com prevalência em torno de 1% na população, seu início geralmente ocorre na adolescência ou início da vida adulta, com presença de sintomas positivos (delírios, alucinações, desorganização do pensamento e do comportamento), e de sintomas negativos (isolamento social, prejuízo da volição e do afeto).[3]

Com relação à população geral, o risco ou probabilidade de morte num mesmo período de tempo de um portador de esquizofrenia é duas a três vezes maior.[3] Carca de 10% dos pacientes com esse diagnóstico chegam a cometer suicídio.[3] Infelizmente, essa é a maior causa de mortalidade.[3] Além disso, cerca de 90% fumam, até 50% apresentam abuso ou dependência de álcool, 15 a 25% de maconha e 5 a 10% de cocaína. Esses pacientes procuram menos serviços de saúde para prevenção e tratamento de outros problemas de saúde, contribuindo para a maior mortalidade. Embora os antipsicóticos atípicos possam predispor a aumento de peso e síndrome metabólica, há metanálise indicando que o tratamento com essas medicações diminui as taxas de mortalidade e aumentam a sobrevida.[3,5-9]

Embora esses dados assustem e jamais devam ser fornecidos de modo inadequadamente direto e não empático aos pacientes e familiares, há dados concretos que a remissão possa ser atingida em cerca de 80% dos casos quando os melhores tratamentos farmacológicos são fornecidos em conjunto com tratamento multidisciplinar, por meio de modelos de manejo individualizados e na própria comunidade, principalmente quando há menor tempo entre a abertura do quadro e o início do tratamento.

Embora pareça ser regra a descontinuidade das medicações pelo paciente portador de esquizofrenia em algum momento do tratamento, a taxa de abandono não é muito diferente da de outras doenças crônicas. Contudo, não devemos nos esquecer do estigma e dos efeitos colaterais das medicações antipsicóticas influenciando a baixa aderência, sobretudo nos casos sem manejo ativo da equipe nessas questões.[5-9]

De todas as informações que temos sobre o problema de saúde do paciente, devemos relevar o que pode ser útil a ele e sua família na diminuição e eliminação do sofrimento em aceitar e enfrentar a doença. Na prática, isso se resume em ajudá-los a entender o que está acontecendo, compreender o diagnóstico e o processo da doença a fim de eliminar fantasias de culpa. Devemos evitar cair em tecnicismo estéril por vaidade de mostrar conhecimento ou meio de evitar a nossa própria insegurança inconsciente. Devemos instruir o paciente e a família das diferentes possibilidades de tratamento, dos benefícios e dobjetivos buscados, além de como enfrentar, evitar ou minimizar os efeitos colaterais. A ideia é trazer toda esperança realista possível com foco no hoje e no futuro.

Como Fazer Isso?

O artigo *Breaking Bad News: Schizophrenia*[4] traz uma ótima adaptação do protocolo SPIKES para o contexto do diagnóstico da esquizofrenia.

- **"S" (*Setting*):** devemos conversar sobre o diagnóstico num local reservado em que o paciente se sinta confortável. Pela falta de pesquisas específicas em relação à presença ou não de familiares no momento do diagnóstico, devemos flexibilizar essa decisão de acordo com a opinião do paciente, de sua família, como também da gravidade do quadro que pode indicar a necessidade do apoio familiar quando não há um delírio persecutório em relação aos familiares.
- **"P" (*Perception*):** tanto "o que" diremos como o "modo" dependerão da nossa percepção sobre o paciente e sua família. A observação pode começar pelo comportamento do paciente, sua apresentação,

autocuidados, além da interação entre o paciente e sua família. Perguntas como "Que tipos de problemas você tem tido para vir procurar o médico?" ou "O que lhe explicaram até agora?" ajudam na avaliação da crítica do paciente de sua doença (prejuízos decorrentes de seus sintomas), além do seu juízo de realidade (diferenciar o que é real e o que é produção de sua própria mente).
O foco inicial deve estar mais nas dificuldades e no sofrimento vivenciados pelo paciente do que simplesmente em dar um nome para seu problema. A atitude de desvalorizar as vivências do paciente e o modo como ele se sente deve ser evitada ao máximo. Os pacientes tendem a vivenciar negativamente a insistência de alguns médicos para que eles aceitem o fato de estarem mentalmente doentes. Essa atitude tende a desvalorizar o paciente com o peso do estigma, trazendo sérias consequências em sua autoestima e baixa aderência ao tratamento.

- **"I" (*Invitation*):** cerca de 50 a 80% dos pacientes ao iniciar o quadro de esquizofrenia não acreditam no diagnóstico. Por isso, é ainda mais importante convidar o paciente e a família para discutir quais as principais necessidades naquele momento. Podemos fazer isso perguntando, por exemplo "Vamos conversar sobre as possíveis causas desses sintomas que você me contou e que estão lhe atrapalhando? Ou você prefere falar primeiro dos nossos objetivos do tratamento ao longo prazo?".
- **"K" (*Knowledge*):** é a ideia de dar poder ao paciente por meio do conhecimento sobre a doença e seu tratamento. Toda atenção deve ser dada à velocidade desse processo, sempre de acordo com o interesse e capacidade de assimilação do paciente, caso contrário o excesso de informações pode ser inútil ou até atrapalhar o processo. Alguns estudos mostram que cerca de 90% dos pacientes com esquizofrenia desejam mais informações sobre sua condição e das causas da doença. A psicoeducação familiar entra também nesse aspecto, inclusive com evidências de efetividade no controle dos sintomas, mas cabe ser usada após o fechamento do diagnóstico

e da concordância do paciente e de sua família na participação.
- **"E"** (*Emotions*): mesmo seguindo à risca todo o protocolo até aqui, será exceção algum paciente apresentar uma reação equilibrada a um complexo diagnóstico como esquizofrenia. Devemos esperar emoções proporcionais ao estigma que o próprio paciente tenha em relação a essa palavra. O melhor modo de manejar esta situação é demonstrando sua própria humanidade "Não é fácil para mim dizer isso a você...", "Eu gostaria muito de poder dizer que seus sintomas são passageiros e fáceis de tratar...", e por meio da empatia frente ao sofrimento do paciente "Vejo que não é nada fácil ouvir esse diagnóstico... provavelmente você gostaria que fosse alguma outra coisa..." Após fornecer o diagnóstico, é importante reforçar o processo de modo empático "Sei que nossa conversa está sendo difícil... Gostaria de saber o que está sendo mais complicado para você até agora" ou "Qual é sua maior preocupação daqui em diante?".
- **"S"** (*Strategy*): nessa etapa, o objetivo é buscar esperança de modo realista. Devemos mostrar ao paciente e à sua família todas evidências concretas dos benefícios do tratamento no controle sintomático por meio da equipe multidisciplinar, das medicações e da estimulação psicossocial.

Dependência Química

De modo geral, a dependência química é uma doença da alteração psicopatológica da volição, em que há perda da liberdade do indivíduo em sua relação com determinada substância. Esse comprometimento volitivo é multifatorial, englobando fatores genéticos, familiares, sociais, comorbidades psiquiátricas, entre outros. Há cinco[10] diferentes estágios de motivação para o tratamento:
- Pré-contemplação;
- Contemplação;
- Preparação;
- Ação; e
- Manutenção.

Na fase pré-contemplativa, o paciente nega prejuízos e perdas decorrentes do uso ou até percebe os prejuízos e problemas enfrentados, mas não os associa ao consumo da substância de modo causal. Desse modo, dar o diagnóstico de dependência, por si só, não resultará em benefício algum e abordagens simplesmente de confronto não demonstraram sucesso. Uma abordagem interessante e específica nesses casos é a entrevista motivacional em virtude de o foco ser justamente a ambivalência do paciente entre manter o uso e ter consciência de seus prejuízos. A tarefa é evocar do próprio paciente as dificuldades enfrentadas, progressivamente melhorando sua crítica, buscando seus próprios desejos pela mudança, descobrindo seus valores e objetivos de vida e confrontá-los com as consequências do uso da substância. Estimular a autoeficácia do paciente, ou seja, sua fé ou crença na própria capacidade de mudar. A entrevista motivacional ajuda o paciente a enxergar suas razões e necessidades para mudar, além de permitir ao próprio paciente descobrir e paulatinamente traçar pequenos objetivos rumo à mudança que passa a enxergar como necessária.[11]

Algo central da entrevista motivacional é o cuidado em resistir ao impulso de consertar o paciente ao apontar tudo o que, em nossa opinião, ele está fazendo de errado. Em vez disso, a ideia é usarmos uma escuta empática para entender seu contexto, sua história, suas dificuldades e valores, para, então, por meio da reflexão do conteúdo fornecido, ajudarmos aquela pessoa a entender seus desejos, suas razões, necessidades para a mudança e o sentimento de capacidade para isso.[11]

No acompanhamento, deve-se criar, em conjunto com o paciente, uma ideia da discrepância entre seus valores e objetivos de vida e seu comportamento atual, sempre com o conteúdo fornecido por ele mesmo, com foco em desenvolver sua crítica, sua autoeficácia e evitar apontar falhas e erros.[11]

Bibliografia

1. Kant I. A metafísica dos costumes. Tradução: Célia Aparecida Martins. Petrópolis, RJ: Editora Vozes Ltda., 2013.
2. Lancet 2013; 382: 1564–74 Global burden of disease attributable to illicit drug use and dependence: findings from the Global Burden of Disease Study 2010.
3. McGrath J, Saha S, Chant D, Welham J. Schizophrenia: a concise overwiew of

incidence, prevalence and mortality. Epidemiol Rev 2008; 30: 67-76.
4. Journal of Psychiatric Practice 2010;16:269–276. Breaking bad news: schizophrenia Seemann, MV.
5. Kaplan & Sadock. Comprehensive textbook of psychiatry 2005; 8 ed., Philadelphia, Lippincott Williams & Wilkins.
6. Marshall M, Lockwood A. Assertive community treatment for people with severe mental disorders. Cochrane Database Syst Rev 2000: CD001089.
7. Zygmunt A, Olfson M, Boyer CA, Mechanic D. Interventions to improve medication adherence in schizophrenia. Am J Psychiatry 2002; 159: 1653-64.
8. Wright C, Catty J, Watt H, Burns T. A systematic review of home treatment services – classification and sustainability.
9. Soc Psychiatry Psychiatr Epidemiol 2004; 39: 789-96. vanVeldhuizen JR. FACT: aDutchversionofACT. Community Ment Health J 2007; 43: 421-33.
10. Welham J, Isohanni M, Jones P, McGrath J. The antecedents of schizophrenia: a review of birth cohort studies. Schizophr Bull 2009; 35: 603-23.
11. James Prochaska e Carlo DiClemente (1982).
12. Miller W, Rollnick S. Entrevista motivacional: preparando as pessoas para a mudança de comportamentos adictivos. Porto Alegre: Ed. Artmed, 2001.

14

Comunicação na Fase Final de Vida

Lucíulo Melo
Ricardo Humberto de Miranda Félix

Os últimos dias e horas de vida são o desfecho de um processo muitas vezes longo e penoso na vida de um doente e de seus familiares. É fundamental uma comunicação ampla e clara, objetivando elucidar dúvidas e aparar as angústias. Muitos são os medos nesse momento, desde o sofrimento que pode ser experimentado pelo ente querido até os aspectos burocráticos pós-morte.

O processo ativo de falecimento não tem tempo preciso para ser deflagrado, podendo se considerar desde as últimas horas de vida até 3-5 dias que antecedem a morte (por convenção, é definido em alguns livros ou artigos como as últimas 48 horas de vida).[1] Nesse momento, surgem os sinais e sintomas desse processo, decorrentes da deterioração completa das funções vitais, como diminuição das funções digestivas, renais e mentais e importante queda funcional. Tem duração imprevisível e dependente das doenças de base, podendo ser rápido, nos casos de hemorragia, sepse ou obstrução de vias aéreas, até muito lento, em casos de demências e tumores cerebrais.[1] Além disso, não é incomum pacientes com morte iminente resistirem por dias e falecerem logo em seguida à visita de alguém importante ou após uma data especial.

A fase terminal, também utilizada de modo diverso na prática clínica e na literatura, pode ser entendida como o período de declínio inexorável e irreversível no *status* funcional prévio à morte – e, como descrito anteriormente, envolve o processo ativo de falecimento e não tem duração estabelecida, já que é variável conforme o processo patológico de base.[17]

A conversa com o paciente e familiares nos últimos dias de vida respeita as técnicas de comunicação de más notícias já estudadas. Quando já há um vínculo prévio com a equipe de saúde, esse processo é mais fácil e o desfecho de óbito muitas vezes já era o esperado. Entretanto, é muito comum profissionais da saúde, com pouca ou nenhuma experiência com a morte, se depararem com pacientes em fase final de vida e terem que noticiar o prognóstico. Do mesmo modo, diversas famílias de pacientes terminais compartilham dessa inexperiência. Com a técnica adequada, é possível garantir uma passagem tranquila e confortável para o paciente e para aqueles ao seu redor, minimizando sentimentos de frustração, preocupação, medo ou culpa e permitindo a expressão de suas esperanças.[2] O médico deve ter uma postura respeitosa e estar disponível para responder aos questionamentos sem preconceitos. As recordações dos últimos momentos de vida podem ser um bálsamo ou uma ferida intratável, a depender do modo de comunicação e das medidas terapêuticas implementadas. Decisões e comentários equivocados dificilmente terão segunda chance de serem corrigidos.

As informações técnicas sobre o quadro clínico e provável desfecho de morte em pouco tempo devem ser repassadas, sempre que possível, ao paciente.[3] É imprescindível deixar claro que ele não será abandonado, que continuará sendo importante e cuidado até os últimos momentos. Os seus desejos devem ser respeitados, como a escolha do local de falecimento, e muitas vezes essa é a última oportunidade de resolver conflitos, revelar segredos, deixar instruções para o pós-morte ou últimas solicitações. O acesso de familiares e amigos deve ser facilitado, garantindo-se a privacidade e intimidade.[3] A família assume as decisões quando o paciente estiver incapaz. A linguagem deve ser simples e acolhedora, explicando o significado das manifestações clínicas e, fundamentalmente, garantindo o não sofrimento e o controle agressivo de sintomas indesejáveis.

O médico deve estar ciente de que a habilidade de enfrentamento dos familiares pode mudar e deve estar disponível para conversas regulares explicando mudanças de evolução e plano terapêutico.[2] Além disso, por vezes há barreiras que dificultam o relacionamento, como a esperança na melhora ou cura ou não aceitação da condição clínica.[3] A evolução do paciente, muitas vezes por si só, é o suficiente para aceitação e quebra dessas barreiras e o profissional deve se preparar para a comunicação do óbito e a reação dos parentes. Um familiar mais bem preparado e equilibrado emocionalmente pode ajudar no conforto daqueles mais vulneráveis. Além disso, esse vínculo não acaba após a assinatura do atestado de óbito, devendo haver suporte para a família durante o processo de luto e atenção ao luto complicado.[4,5]

Outro ponto relevante é a comunicação coesa entre a equipe de saúde. Todos os envolvidos na atenção ao paciente devem ser informados sobre o plano de cuidados e o prognóstico esperado. Isso evita contradições, comentários inadequados e medidas por vezes desproporcionais e intempestivas (como ressuscitação cardiopulmonar), o que gera desconfiança e sofrimento na família. Além disso, é valiosa a passagem de visita em conjunto do médico com a equipe multidisciplinar, pois muitas medidas adotadas levam a desconforto entre os profissionais.

O cuidado de uma pessoa durante o processo de morte afeta as crenças dos profissionais sobre o respeito humano e mobiliza as sensibilidades mais profundas. O cuidado ao moribundo acalenta os últimos momentos da vida para fazer menos penosa a despedida.[1]

A filosofia de cuidado para pacientes em fase final de vida, que incorpora comunicação como um dos seus pilares, é entendida como Cuidados Paliativos. A Organização Mundial de Saúde (OMS), em 2002, definiu Cuidados Paliativos como uma abordagem multidisciplinar que visa melhorar a qualidade de vida de pacientes e de seus familiares que enfrentam uma doença ameaçadora de vida, por meio da prevenção e alívio do sofrimento com a identificação precoce e acesso impecável aos sintomas, bem como tratamento da dor e de outros problemas de ordem física, psicológica ou espiritual.[11-13]

Apesar de haver estigma sobre a exclusividade do cuidado paliativo para pacientes oncológicos ou muito idosos com comorbidades significativas, ele deve ser parte essencial da assistência em qualquer idade em face de doenças ameaçadoras da vida, em qualquer cenário, inclusive em unidades de terapia intensiva.[13]

A comunicação, como parte indissociável do cuidado paliativo, deve entender e respeitar os valores, as preferências e necessidades expressas do paciente.

Nas próximas linhas destacam-se alguns pontos importantes para uma Comunicação eficiente no fim da vida.

Prognóstico: Ferramentas de Apoio Clínico e Pouco Úteis na Comunicação

Há várias ferramentas para estimação de prognóstico, principalmente para pacientes oncológicos. Apesar disso, o número ou resultado dessas estimativas tem pouco sentido na comunicação e pode desgastar a relação entre a família, o paciente e a equipe de saúde. A principal consideração a ser levantada é a possibilidade grande de erro, afinal, ferramentas foram desenhadas a partir de uma média – e há pacientes com histórias de vida e de doença que não necessariamente seguem a média estudada.

Questionamentos sobre "quanto tempo" no contexto de fase final de vida, entretanto, são frequentes na prática clínica e devem sempre ser acolhidos. Respostas retóricas, como "todos nós um dia iremos morrer", desgastam a relação e podem aumentar angústias desse período. A comunicação nessa situação deve ser clara e sincera: cada paciente tem sua história e seu tempo – e a previsão de data ou hora não cabe a médicos e equipe. Nesse sentido, pode-se amenizar a angústia resgatando a história recente e agregando dados atuais (como sinais de fase final de vida, abordados adiante) para melhor percepção do quadro atual, utilizar de ordem de grandeza (dias, horas) em casos bastante selecionados ou recorrer a aspectos culturais ou religiosos – a depender da relação construída entre equipe e família/paciente.

A percepção de finitude deve ser construída progressivamente, ao longo do tempo, com início no diagnóstico de uma doença ameaçadora, com ou sem cura possível. Geralmente, tanto a equipe quanto pacientes e familiares já possuem a sensação de terminalidade com o progredir dessas doenças, que apenas não é explicitada; desse modo, medos, dúvidas e angústias, de ambas as partes, permeiam todo o processo de adoecimento.

O envelhecimento populacional exponencial e consequente aumento do número de pessoas com comorbidades crônicas e de evolução lenta, que levam a declínio funcional e à morte, alertam para a necessidade de abordagem gradativa e clara. Sempre que possível: a maioria desses pacientes com doenças avançadas deseja saber informações acerca do seu prognóstico.[16]

Sinais e Sintomas do Processo Ativo da Morte Natural

Há muitas mudanças fisiológicas que ocorrem nas últimas horas ou dias de vida, e geralmente são acompanhadas de declínio funcional, queda na qualidade de vida e uma variedade de sintomas.[1-5] Diante da evolução do paciente, o médico tem que se antecipar e identificar sinais e sintomas do processo de morte e instaurar medidas de conforto. A explicação detalhada dos sintomas e do objetivo das medicações prescritas ou suspensas conforta e educa para casos futuros.

Vários sinais clínicos podem estar presentes no paciente moribundo, e os mais específicos para uma morte iminente são: diminuição do pulso radial, respiração com movimentação da mandíbula, oligúria, respiração de Cheyne-Stokes e ronco da morte (sororoca). Ainda podem-se citar: pupilas não reativas, rebaixamento do nível de consciência, incapacidade de cerrar as pálpebras, queda do ângulo nasolabial, hiperextensão do pescoço, grunhido e hematêmese.[6,7]

Os sintomas mais comuns encontrados nessa fase são dispneia, *delirium*, ansiedade, sororoca, piora da dor e náuseas.[5,8] Nesse momento, a prescrição não deve conter medicações fúteis e precisa ser resumida às drogas essenciais (se necessário, o uso da hipodermóclise – em que medicações são aplicadas via subcutânea, de modo menos doloroso que o acesso venoso – é valioso). Além disso, o jejum muitas vezes pode ser considerado parte do processo de falecimento.[10] Exames no geral levam a desconforto na coleta ou no transporte e devem ser evitados, assim como aferição de sinais vitais e glicemias. O banho e a troca de curativos devem ser racionalizados.

A família muitas vezes vai contestar a suspensão de medicações de longa data como hipoglicemiantes, estatinas, anti-hipertensivos, e toda decisão deve ser compartilhada.

O médico deve ter a tranquilidade de explicar que o objetivo no momento é manter o bem-estar do paciente e que não há mais benefício com as drogas prévias. Deve-se expor o risco de interação e possíveis efeitos colaterais. Como muitas vezes o paciente diminuiu muito a ingestão oral, pode-se expor o risco desnecessário de hipoglicemia e hipotensão. Atenção deve ser dada à suspensão de medicações como betabloqueadores, anticonvulsivantes, antidepressivos e benzodiazepínicos, que geralmente devem ser suspensos gradualmente para evitar complicações.[3]

Um dos momentos de maior tensão é a suspensão de hidratação e alimentação, seja por via oral ou enteral. Existe um estresse emocional muito grande da família, e, muitas vezes, há o apelo em manter dieta para evitar que o paciente fique ainda mais debilitado.[3,10] Não é incomum a solicitação de passagem de sonda nasoenteral (SNE). Nesse momento, a família deve ser lembrada, de modo sutil, que o paciente já vinha diminuindo sua ingestão oral global nos últimos meses ou semanas, fazendo-os perceber que estão diante de um processo natural de falecimento. Entretanto, pela possibilidade de o ato de alimentar ter significância cultural diversa e poder significar o cuidado básico, não é incorreta a utilização de alimentação artificial, considerando família e paciente como binômio de cuidado.[10]

Uma maior oferta de calorias não leva a aumento de energia, força ou *status* funcional, nem mesmo prolongamento da vida. Há evidências sugerindo que o estado de cetose do jejum gera uma sensação de bem-estar e conforto ao paciente pela liberação de opioides endógenos.[5] A oferta de alimentos quebra esse ciclo e, pela lentificação do trato digestório, leva ao risco de broncoaspiração, náuseas e vômitos, dor abdominal e diarreia. A passagem de uma SNE é temerária por todo o desconforto associado.

Por vezes é necessário ceder às demandas e manter uma hidratação básica, se possível por hipodermóclise. O soro glicofisiológico é bem aceito, já que contém uma fonte calórica. Entretanto, devem ficar claros os riscos da hidratação, como piora da dispneia, tosse, acúmulo de secreções e edema, e obviamente as vantagens de uma desidratação leve. A família pode participar ativamente desse processo, ajudando nos cuidados com a boca do paciente, além de ofertar pequenas alíquotas de líquido.[3]

Atenção especial deve ser dada a alguns sinais e sintomas pelo desconforto causado ao paciente, familiares e membros da equipe de saúde. As alterações de padrão respiratório geram muitos questionamentos, pois se tem a percepção de que o paciente está sufocado, e, além disso, a morfina, utilizada para alívio de sintomas, ainda é vista com preconceito. Nesse momento é importante frisar que, apesar da alteração na mecânica respiratória, o paciente não tem percepção de sofrimento. E que isso se deve à medicação, pois, apesar de ser analgésica, leva a uma sensação de bem-estar e alívio da dispneia. Além disso, não altera sobrevida e não anteciparáa morte, e muito menos causará dependência. Outro ponto importante e que deve ser discutido é a falta de benefício da administração de oxigênio, que também não muda desfecho ou desconforto. Aferição de oximetria de pulso deve ser desestimulada, pois é fonte de preocupação desnecessária.

A respiração ruidosa por acúmulo de secreção e saliva na orofaringe é chamada de sororoca. Decorre da incapacidade de deglutir e do rebaixamento do nível de consciência. É muitas vezes angustiante até para a equipe de saúde, que tem o impulso de aspirar a via aérea. É necessário deixar claro que o paciente não está asfixiado e explicar o significado clínico e as possibilidades terapêuticas (atropina, escopolamina, propantelina, ipratrópio). As aspirações são desconfortáveis e ineficazes, podendo gerar mais desconforto aos familiares.

Os demais sinais e sintomas devem ser explicados numa linguagem simples e com raciocínio lógico. O acompanhamento dos familiares junto ao leito deve ser estimulado sempre que possível, pois é um momento único e especial. Um questionamento frequente é se o paciente com rebaixamento do nível de consciência entende o que lhe é falado. O estímulo verbal ou tátil deve ser estimulado, pois, além de ser uma demonstração de carinho e afeto, acredita-se que a consciência pode ser maior que a capacidade de responder.[9]

Cerco do Silêncio

O cerco ou conspiração do silêncio corresponde à informação limitada (omitindo-se frequentemente o prognóstico) da condição clínica pela equipe e família ao paciente, na crença de se tratar de uma forma de proteção a um sofrimento tido como desnecessário.

Há duas razões principais para o estabelecimento do cerco: dificuldade, entre os profissionais, na comunicação e, principalmente, decisão da família – fruto de cultura paternalista de que a omissão de más notícias para o paciente diminuiria a angústia e promoveria a esperança.[15]

Porém, por mais bem-intencionada, a conspiração do silêncio geralmente está relacionada a ansiedade e angústias elevadas na família e desconfiança no paciente. E, ao fim, pode promover atritos no contexto de fase final que podem não ser resolvidos. Especialmente, o cerco do silêncio pode privar o paciente, em conjunto com sua família, da oportunidade de reorganizar e adaptar a vida com metas tangíveis e aspirações realistas, além da possibilidade de dividir medos e compartilhar últimos momentos de modo singular.[15]

Alguns passos podem ser válidos para manejo do cerco do silêncio: identificar a situação da conspiração (para explorar e validar as razões); questionar sobre o custo emocional de continuar o cerco com o(s) famialr(es) envolvido(s); alinhar com parentes envolvidos no cerco uma conversa ou reunião com o paciente, mantendo a promessa de a princípio a princípio não transgredir o silêncio; investigar o nível de reconhecimento do paciente sobre a situação e explorar as chaves para continuar; pedir permissão para discutir a questão com o(s) familiar(es) envolvido(s); proporcionar reuniões e rodas de conversa entre os envolvidos e a equipe após a conversa inicial.

A Comunicação da Morte

A comunicação do falecimento geralmente traz mais angústias ao médico que a familiares quando o processo de morte já está assimilado e entendido pela família. Geralmente, as notícias são mais difíceis para os médicos quando abrangem pacientes jovens ou quadros agudos.[14]

Como sempre, as técnicas relatadas devem ser utilizadas. Enfatizam-se o acolhimento e a escuta ativa nesse momento, utilizando-se principalmente de comunicação não verbal. O ambiente deve ser apropriado para preservação da família e para eventuais despedidas e momentos finais.

Considerações Finais

O ato de comunicar é complexo, necessita sempre de aprimoramento e, especialmente nas últimas horas de vida, deve ser entendido além da mera transmissão de informações e dados clínicos e envolver sempre empatia, acolhimento e consolo quando necessário.

O surgimento de situações críticas, como a conspiração do silêncio, mostra a imprescindibilidade do uso de técnicas adequadas, amplamente relatadas ao longo do livro. A técnica para se comunicar é tão ou mais importante que a técnica para manejar condições clínicas comuns, como dor.

É importante salientar, por fim a afirmação amplamente conhecida de Jung: "Conheça todas as teorias, domine todas as técnicas, mas ao tocar uma alma humana, seja apenas outra alma humana".

Bibliografia

1. Benítez del Rosario MA, Pascual L, Asensio Fraile A. La atención a los últimos días. Aten Primaria. 2002;30(5):318-32.
2. Emanuel LL, Ferris FD, von Gunten CF, Von Roenn JH. The last hours of living: practical advice for clinicians. The EPEC Project™, Chicago, IL, 2005. Disponível em:< http://www.ipcrc.net/epco/EPEC-O%20M06%20Dying/EPEC--O%20M06%20Dying%20PH.pdf> Acesso em: 15/04/2016.
3. Bailey FA, Harman SM. Palliative care: The last hours and days of life. Disponível em: www.uptodate.com. Acesso em: 15/04/2016.
4. Ellershaw J, Ward C. Care of the dying patient: the last hours or days of life. BMJ. 2003;326:30-34.
5. Ferris FD, von Gunten CF, Emanuel LL. Competency in end of life care: The last hours of living. J Palliat Med. 2003;6:605-13.
6. Hui D, dos Santos R, Chisholm G, et al. Clinical signs of impending death in cancer patients. Oncologist 2014; 19:681.
7. Hui D, Dos Santos R, Chisholm G, et al. Bedside clinical signs associated with impending death in patients with advanced cancer: preliminary findings of a prospective, longitudinal cohort study. Cancer 2015; 121:960.
8. Kehl KA, Kowalkowski JA. A systematic review of the prevalence of signs of impending death and symptoms in the last 2 weeks of life. Am J Hosp Palliat Care 2013; 30:601.
9. Di Tommaso ABG, Lima MTR, Cendoroglo MS. Os sintomas das últimas 48 horas. In: Silva de Moraes N, Galhardi Di Tommaso AB, Nakaema KE Almeida Pernambuco AC de, Rodrigues de Souza PM (Orgs.). Cuidados Paliativos com enfoque geriátrico. 1. ed. São Paulo: Atheneu, 2014. p. 227-230.

10. Melo L, Cherpak G L, Gonçalves T. Alimentação artificial em Cuidados Paliativos. In: Silva de Moraes N, Galhardi Di Tommaso AB, Nakaema KE, Almeida Pernambuco AC de, Rodrigues de Souza PM (Orgs.). Cuidados Paliativos com enfoque geriátrico. 1. ed. São Paulo: Atheneu, 2014. p. 407-414.
11. Palliative Care. Cancer control: knowledge into action: WHO guide for effective programmes; module 5. World Health Organization 2007. ISBN 92 4 154734 5.
12. World Health Organization – Definition of Palliative Care. Disponível em: http://www.who.int/cancer/palliative/definition/en/.
13. Leme F E, Melo L, Souza P M R. Conceitos e princípios. In: Silva de Moraes N, Galhardi Di Tommaso AB, Nakaema KE, Almeida Pernambuco AC de, Rodrigues de Souza PM (Orgs.). Cuidados Paliativos com enfoque geriátrico. 1. ed. São Paulo: Atheneu, 2014. p. 3-12.
14. Junior AS, Rolim LC, Morrone LC. O preparo do médico e a comunicação com familiares sobre a morte. Rev Assoc Med Bras. 2005. 51(1) 11-16.
15. Bresque L M C, Oliva L B, Zenatti C T. Estratégias de comunicação em Cuidados Paliativos. In: Silva de Moraes N, Galhardi Di Tommaso AB, Nakaema KE, Almeida Pernambuco AC de, Rodrigues de Souza PM (Orgs.). Cuidados Paliativos com enfoque geriátrico. 1. ed. São Paulo: Atheneu, 2014. p. 41-47.
16. Parker SM, Clayton JM, Hancock K, et al. A systematic review of prognostic/end-of-life communication with adults in the advanced stages of a life-limiting illness: patient/caregiver preferences for the content, style and timing of information. J Pain Sympton Manage. 2007; 34(1):81-93.
17. Harlos M. The terminal phase. In: Hanks G, Cherny N, Chistakis N, Fallon M, Kaasa S, Poternoy R (Orgs.). Oxford Textbook of Palliative Medicine. 4th ed. Oxford, United Kingdom: Oxford University Press, 2011. p.1549-1559.

15

O Papel da Equipe Multiprofissional na Comunicação de Más Notícias

Aécio Flávio Teixeira de Góis
Alessandra Duarte Santiago
Bianca Orestes Antunes
Carolina de Oliveira Cruz Latorraca
Daniel Antunes Alveno
Lucas Guimarães Machado dos Santos

Introdução

De acordo com Deslandes, comunicar é um modo de construirmos e atualizarmos novas versões de mundo, de sofrimento, de cuidado e de nós mesmos. Comunicar-se é relacionar-se, é cuidar. E quem cuida mais do que uma equipe de saúde?[1]

Já está escrito no Código de Ética Médico, Cap. V, Art. 34, que é vedado ao médico "deixar de informar ao paciente o diagnóstico, o prognóstico, os riscos e os objetivos do tratamento, salvo quando a comunicação direta possa lhe provocar dano, devendo, nesse caso, fazer a comunicação a seu representante legal".[2]

Na prática, apesar de o médico ser o principal responsável por dar as más notícias, os questionamentos não são limitados a sua atuação. Podem surgir durante o atendimento de qualquer um dos profissionais da equipe, que muitas vezes passam muito mais tempo em contato direto com os pacientes do que o próprio médico. Fisioterapeutas, assistentes sociais, terapeutas ocupacionais, enfermeiros, psicólogos, todos estão envolvidos no cuidado com o paciente.

Mas como fazer, então, quando se trabalha em equipe multiprofissional e todos são responsáveis pelo paciente? Como fazer quando o médico está acostumado a ter toda a responsabilidade para si? Quais as dificuldades do dia a dia que acabam fazendo com que apenas o médico participe desse momento tão crucial, tão único na vida de um paciente?

Reunimos aqui um time multiprofissional que já trabalhou junto para dividir experiências, boas e ruins, sobre como comunicar más notícias de modo multiprofissional.

O objetivo deste capítulo é estabelecer as dificuldades que cada profissão encontra ao comunicar-se com o paciente, sejam elas secundárias a falta de comunicação dentro da equipe ou por uma própria dificuldade na abordagem do assunto, para construir uma equipe mais coesa, capaz de decisão compartilhada, com metas e objetivos mais esclarecidos, beneficiando assim paciente e familiares.

Nossa intenção é dividir experiências e dificuldades e estabelecer o que a literatura propõe para uma comunicação eficaz.

Medicina

No cotidiano das relações entre os profissionais de saúde, a comunicação assertiva e clara é um dos principais objetivos a ser atingido para que se consiga um melhor cuidado aos nossos pacientes. Na grande maioria das vezes essa comunicação pode ser falha, já que é muito pouco discutida e ensinada nos cursos de saúde.

Cada vez mais precisamos estabelecer melhores formas de comunicação também para minimizar o conflito entre diversos integrantes da equipe de saúde. Durante muitos anos alguns profissionais se comunicavam com os integrantes da equipe de um modo autoritário e verticalizado, às vezes até agressivo, gerando um resultado contrário ao requisitado, que seria a execução de uma tarefa para o paciente. Esse é, no nosso cotidiano, ainda um grande problema para as equipes interdisciplinares. Cerca de 90% dos conflitos que ocorrem nas equipes interdisciplinares se devem a uma comunicação inapropriada, quando muitas vezes um integrante utilizou um timbre agressivo ou palavras inapropriadas para sua comunicação, repercutindo também na assistência ao paciente.

No modelo de saúde, em especial em algumas áreas da saúde, como as unidades de terapia intensiva, unidades de emergência e centros cirúrgicos, as relações interdisciplinares precisam ser harmônicas, com comunicação clara e papéis bem estabelecidos, com um bom entendimento em equipe para que a complexidade da tarefa a ser executada ocorra do melhor modo possível. Muitas vezes, nas situações estressantes dessas unidades, a inadequação da comunicação pode dificultar em muito os processos a serem executados e gerar problemas entre os integrantes da equipe, diminuindo o potencial e a performance desse grupo na execução das tarefas.

O novo modelo interdisciplinar que se tenta construir no sistema de saúde, em especial em atendimentos domiciliares, unidades de cuidados paliativos e unidades de terapia intensiva, em que todos os integrantes têm voz e participação cada vez mais igualitária nas decisões, tem facilitado bastante a comunicação entre a equipe e diminuído as angústias por meio de uma comunicação com participação ativa de todos os integrantes.

A chegada e a participação mais frequentes dos profissionais da psicologia e da assistência social facilitaram em muito para que as pessoas se comuniquem melhor e que de um modo reflexivo se consiga melhorar a integração e a comunicação interdisciplinar.

O novo olhar do médico e da enfermeira, que têm se posicionado de um modo integrativo e menos verticalizado com as outras profissões, tem facilitado em muito essa nova maneira de se comunicar.

Acreditamos que cada vez mais o ensino da saúde deve ser feito com a equipe integrada, incluindo situações de emergência com a participação multidisciplinar e em simulações realísticas, como ocorre na Unifesp com nossos estudantes de medicina e enfermagem e também com os nossos residentes multidisciplinares de emergência. Ao final do cenário ocorre o *debriefing*, incluindo uma discussão do ato de comunicação interdisciplinar, facilitando em muito como estratégia de ensino. Esse modelo ensinado nas faculdades e nas residências integrando e discutindo comunicação e relação facilitará em muito para que o cuidado ao paciente e a relação entre a equipe ocorram de um modo claro, assertivo, menos conflituoso, em prol de uma melhor assistência aos nossos pacientes.

Enfermagem

A comunicação de más notícias no âmbito hospitalar constitui uma das mais difíceis e temidas tarefas atribuídas ao profissional de saúde.[3,4] Envolve informações negativas referentes, principalmente, ao diagnóstico, tratamento e prognóstico do paciente.[5]

Geralmente, o portador desse tipo de notícia é o médico, profissional responsável pelas decisões do tratamento. No entanto, esse processo inclui as interações que ocorrem antes, durante e após o momento em que a má notícia é comunicada, sendo considerado uma tarefa multidisciplinar.[5]

No ambiente hospitalar, a equipe de enfermagem representa o maior número de profissionais. É distribuída por todo o hospital, principalmente entre unidades de internação, pronto-socorro e unidades de terapia intensiva, locais onde a aproximação com o paciente e família é maior e a comunicação de más notícias mais frequente.

Por ser a profissão que lida diretamente com o cuidado, 24 horas por dia, a ligação emocional entre enfermeiros e pacientes/familiares se torna muito forte, podendo ser benéfica pelo atendimento prestado e sentimento de confiança mútua. Entretanto, tal proximidade afetiva, estabelecida por meio de acolhimento, prestação de cuidados adequados e suporte emocional, pode dificultar o processo de comunicação de más notícias, tornando o profissional vulnerável às emoções ali presenciadas e inapto a gerir esse tipo de situação.[6]

Evidências científicas demonstram que os pacientes estão cada vez mais informados a respeito de sua doença, tratamento e prognóstico (bom ou ruim).[5] Cabe também ao enfermeiro, durante toda a internação, fornecer informações precisas e sanar dúvidas que auxiliem os pacientes a tomar decisões, principalmente quanto aos cuidados de fim de vida.

A abordagem do enfermeiro na comunicação de más notícias ocorre em diversas ocasiões, desde o primeiro acolhimento numa unidade básica de saúde, até a maternidade, unidades de terapia intensiva e processo de doação de órgãos.

Neste último, é designada ao enfermeiro a realização da entrevista familiar com o objetivo de fornecer informações sobre o protocolo de morte encefálica e posteriormente possibilitar à família a doação dos órgãos de seu familiar falecido.[7]

É necessário que haja um preparo do profissional para que a entrevista seja bem-sucedida, ou seja, para que os familiares consigam compreender a morte encefálica e tomar a melhor decisão, optando ou não pela doação de órgãos.

O preparo adequado para esse tipo de situação ocorre por meio de cursos específicos para comunicação de más notícias, em que os profissionais envolvidos nesse processo são treinados a atuar da melhor maneira ética e legal, a fim de nortear as famílias a tomarem a melhor decisão. Uma entrevista malsucedida não é aquela em que a doação de órgãos foi recusada, mas sim aquela em que a família não compreendeu o processo de doação e não estabeleceu vínculo com o interlocutor, fazendo com que o momento possa ser traumático para ambas as partes.[8]

Devido a sua complexidade e ampla disseminação, a comunicação de más notícias é considerada uma atividade multidisciplinar longe de poder ser executada como protocolo ou "receita de bolo". Requer a dedicação de uma vasta gama de profissionais, a fim de que não haja prejuízos emocionais ao paciente, familiares e futuros relacionamentos com profissionais de saúde.[5]

Sejam quais forem o ambiente e a situação, o enfermeiro tem participação ativa na comunicação de más notícias. A fim de melhorar a qualidade de comunicação, é necessário não somente treinamento técnico, mas que suas palavras e ações sejam éticas e legais para que a conduta, além de correta, seja reconhecida também pelo acolhimento e humanidade.

Fisioterapia

Independentemente da área da fisioterapia, muitas condutas de um fisioterapeuta têm como objetivo a melhora do estado geral, da qualidade de vida, da funcionalidade e o alívio da dor e de outros sintomas respiratórios dos pacientes. Em muitos casos, as terapias não necessariamente estão associadas a cura ou tratamento da causa desses sintomas, sendo, portanto, uma conduta paliativa. No momento de dor, dispneia, desespero dos familiares com o quadro, queda do estado funcional do paciente, o fisioterapeuta quase sempre é envolvido no tratamento. Entretanto, a maioria dos cursos de fisioterapia não prepara o profissional para que se comunique adequadamente com um paciente.

O processo de reabilitação que realizamos inclui tarefas importantes e de grande vínculo físico e emocional. Nossos atendimentos incluem muito contato, toque afetivo que estimula terminações nervosas sensoriais e desencadeia alterações neuronais, mentais e emocionais, o que nos aproxima do paciente, resgatando muitas vezes possibilidades de conversas. As dúvidas podem se apresentar com os mais diferentes modos de questionamento, por exemplo, quando pacientes portadores de doenças crônicas com sequelas irreversíveis ou acometimentos progressivos abordam seus fisioterapeutas com questões do tipo: "Vou voltar a andar?", "Vou conseguir respirar sem oxigênio?" ou "Quando irei voltar a trabalhar?", e, devido à falta de preparo, muitos profissionais respondem utilizando o artifício inadequado da "mentira piedosa" por acharem que esse papel é exclusivo do médico; para não terem que se confrontar com a realidade de serem os responsáveis por dar uma má notícia e não saberem como lidar com a situação; ou simplesmente por não saberem quais palavras utilizar.

Evidentemente que a "mentira piedosa" deve ser evitada em prol da "verdade progressiva". Para isso, o fisioterapeuta deve conhecer profundamente o paciente e realizar uma anamnese que avalie, além das queixas físicas, informações socioeconômicas, familiares, psíquicas e espirituais. Após uma má notícia, frequentemente, muitas outras dúvidas sobre o quadro clínico e prognóstico podem surgir e o fisioterapeuta, tendo em mãos essas informações, terá mais argumentos para minimizar o sofrimento e propor alternativas mais realistas. Ter empatia por quem irá receber a notícia também é de extrema importância para que o profissional consiga conduzir a situação de maneira adequada diante das possíveis reações do indivíduo. Estudos evidenciam que o profissional responsável pela comunicação da má notícia acaba atraindo maior confiança e aderência ao tratamento.[9]

Assim, quando um paciente jovem, atleta de futebol que sofreu um acidente automobilístico e apresenta lesão completa da medula espinhal no nível T12 – L1 pergunta ao seu fisioterapeuta "Vou voltar a andar?", é importante que o profissional reflita sobre,qual é o real sentido daquele questionamento antes de simplesmente responder ao paciente, como:

- Andar pode representar liberdade de locomoção, além da realização de um sonho profissional e deixar de andar pode significar ficar preso, inútil ou dependente de alguém para sempre.
- Até que ponto foi conversado sobre a lesão medular, tratamento cirúrgico e prognóstico para que o fisioterapeuta traga informações reais e complementares ao que foi dito pelo médico.
- Muitas vezes o paciente já ouviu a resposta daquela pergunta algumas vezes, mas a refaz ao fisioterapeuta na esperança de ouvir algo diferente.

O momento de conversar sobre determinados assuntos deve ser bem escolhido, portanto, nunca se deve dar uma má notícia no meio da terapia. Durante os atendimentos, o olhar, a clareza das informações, a linguagem coloquial, o sorriso, o toque e a pergunta "como você se sente hoje" resultam em uma proximidade para uma relação muitas vezes de confiança, carinho e de abordagem da trajetória do cuidado. Deve ser realizada em um ambiente calmo, reservado, após a terapia, com a presença de um familiar ou cuidador, caso seja da vontade do paciente. Sempre que uma conversa importante for necessária, o fisioterapeuta deve ter certeza da veracidade de todas as informações que serão passadas, pois erros, incertezas e inseguranças são inaceitáveis nesse momento. Inicialmente, deve-se entender o que se sabe sobre o assunto questionado e perguntar sobre qual o impacto daquela resposta sobre o paciente ou familiar. Importante ter essas respostas para que a informação seja dada de modo pontual apenas para esclarecer sobre algo que se deseja saber e para que o fisioterapeuta não se complique com informações adicionais desnecessárias que podem gerar novas dúvidas e inseguranças. O modo de discursar deve ser empático, com o cuidado de não dar falsas esperanças ao ouvinte, mas também sem ter a intenção de tirar a esperança de melhora, muitas vezes baseada em sua fé.[10]

Após os esclarecimentos, o fisioterapeuta tem um papel importante ao mostrar para o paciente ou seus familiares que é possível propor alternativas, mesmo que paliativas, para alívio do sofrimento e melhora da qualidade de vida, seja com terapias para controle da dor, aumento da amplitude de movimento, alívio de sintomas respiratórios, melhora ou manutenção da funcionalidade ou simplesmente prevenindo o aparecimento de úlceras ou deformidades.[11-13] Quanto mais estivermos presentes e participarmos dessa abordagem, mais vamos modificar, aprender e ressignificar nossas condutas, principalmente diante de questionamentos que envolvem más notícias referentes a prognósticos de doenças progressivas, incuráveis e que ameaçam a vida.[14]

Psicologia

É difícil ficar de fora quando todos o consideram o "profissional da comunicação". Geralmente existe muita esperança de que o psicólogo saiba o jeito certo de falar, que assuste menos o paciente ou que faça com que o paciente chore menos. É impossível prever isso!

Quando trabalhamos em uma enfermaria, acabamos conhecendo os pacientes e entrando num ritmo de bom trabalho com a equipe. Dá para saber quais pacientes perguntam mais, desafiam mais, e então, nessas horas, existe até a possibilidade de treinar um pouco antes, para deixar a equipe um pouco mais segura. Ter em mãos algum protocolo e um plano para o paciente é sempre boa ideia. É importante também manter-se calmo, ter aquele olhar acolhedor, tanto para o paciente e sua família quanto para toda a equipe.

Mas fica complicado quando o contexto é outro. Uma morte por trauma num pronto-socorro, por exemplo, em que tudo que temos é uma conversa rápida no corredor com o médico atendente e um "vamos lá?!" para ir encontrar uma família que não tem ideia do que aconteceu. E aí entramos, nos apresentamos, o médico até segue algum protocolo, mas, dada a notícia e no momento em que algum familiar começa a chorar, parece que ele pensa, "agora é minha deixa, o seu trabalho começa aqui", e vai embora! E aí você fica sozinho com uma família inteira, sem saber explicar o que aconteceu e tendo que lidar com um milhão de emoções que estão à flor da pele.

Ou então existe alguma discordância entre a equipe, algo que não foi discutido de modo claro antes, aí entramos em uma sala com familiares ansiosos buscando por informação e escutamos um "pode ficar tranquilo, a gente não vai dizer isso pro seu pai, porque eu sei que ele não suportaria", quando é direito do paciente saber o que está acontecendo com ele, se ele quiser. Quando a dificuldade é do profissional, não dá para realizar uma boa comunicação.

Por outro lado, quando a equipe é bem sintonizada e todo mundo é participativo no cuidado, incluindo o paciente, comunicar uma notícia, qualquer que seja, acaba fazendo parte de uma conversa de empoderamento do paciente, que deixa de esperar e se torna agente de seu cuidado. Processo muito bonito de ver acontecendo!

Bibliografia

1. Deslandes SF, Mitre RMA. Communicative process and humanization in healthcare. Interface - Comunic., Saúde, Educ, 2009;13(1):641-9.
2. Resolução CFM N° 1.931, de 17 de setembro de 2009.
3. Pereira M. Comunicação de más notícias e gestão do luto. Coimbra: Formasau, 2008.
4. Victorino A, Nisenbaum E, Gibello J, Bastos M, Andreoli P. Como comunicar más notícias: revisão bibliográfica. RSPH [Internet]. 2007 June [cited 2016 October 31]; 10(1):53-63. Disponível em: http://pepsic.bvsalud.org/scielo.php?script=sci_arttext&pid=S1516-08582007000100005&lng=pt&nrm=iso.
5. Warnock C, Tod A, Foster J, Soreny C. Breaking bad news in inpatient clinical settings: role of the nurse. Journal of Advanced Nursing. 2010 July; 66(7):1543-55.
6. Pereira GTA, Fortes IFL, Mendes JMG. Comunication of bad news: systematic literature review. Rev Enfermagem UFPE online. 2013 Jan; 7(1)227-35.
7. Lopes CR, Graveto JMGN. Comunicação de notícias: receios em quem transmite e mudanças nos que recebem. Revista Mineira de Enfermagem2010; 14(2):257-63.
8. Edwards M. How to break bad news and avoid common difficulties. Nursing & Residential Care [Internet]. 2010 Oct [cited October 31]; 12(10): 495-7. Disponível em: www.scie-socialcareonline.org.uk/profile.asp?guid=c7523c72-8b42-4005-b164-0fadca7d3bf4.
9. Phillips J, Kneebone II, Taverner B. Breaking bad news in stroke rehabilitation: a consultation with a community stroke team. Disabil Rehabil. 2013 Apr;35(8):694-701.
10. Abdul Hafidz MI, Zainudin LD. Breaking bad news: An essential skill for doctors. Med J Malaysia. 2016 Feb;71(1):26-7.

11. Chasen M, Bhargava R, MacDonald N. Rehabilitation for patients with advanced cancer. CMAJ. 2014 Oct 7;186(14):1071-5.
12. Jensen W, Bialy L, Ketels G, Baumann FT, Bokemeyer C, Oechsle K. Physical exercise and therapy in terminally ill cancer patients: a retrospective feasibility analysis. Support Care Cancer. 2014 May;22(5):1261-8.
13. Kaur D, Kumar G, Billore N, Singh AK. Defining the role of physiotherapy in palliative care in multiple sclerosis. Indian J Palliat Care. 2016 Apr-Jun;22(2):176-9.
14. Veqar Z. The perspectives on including palliative care in the Indian undergraduate physiotherapy curriculum. J Clin Diagn Res. 2013 Apr;7(4):782-6.

16

Compaixão

Lucas Guimarães Machado dos Santos
Jeanne Pilli

"Quando comecei a praticar a meditação da compaixão, senti que minha sensação de isolamento começou a diminuir, enquanto, ao mesmo tempo, a sensação pessoal de empoderamento começou a crescer. Onde eu via apenas problemas, comecei a ver soluções. Onde eu via minha própria felicidade como mais importante que a felicidade dos outros, comecei a ver o bem-estar dos outros como a base da minha própria paz mental."

Mingyur Rinpoche

Introdução

Um dos princípios que regem uma comunicação de más notícias eficaz é o estabelecimento de uma relação empática entre equipe médica, paciente e familiares. Aos envolvidos em um processo de comunicação expresso por meio de uma postura empática, fica aparente que o processo acontece de maneira mais natural e mais humana, diminuindo o impacto de notícias que possam vir a mudar definitivamente a vida daqueles que as recebem; qualquer que seja a notícia, qualquer que seja o contexto. Numa UTI, por exemplo, alguns pacientes não conseguem se comunicar, ou não possuem capacidade para expressar sua autonomia, o que faz o processo de tomada de decisões dependente de terceiros, portanto mais complexo, mais dependente e marcante para os demais envolvidos,[1] tornando ainda mais importante a presença da empatia na comunicação.

Entretanto, o treinamento de empatia na comunicação com frequência negligencia a sobrecarga inerente a essa abordagem, sobrecarga esta da equipe de saúde como um todo mas, talvez, principalmente do médico. Há muito tempo estuda-se o conceito de trabalho emocional no contexto de manejo organizacional, entretanto esse conceito não faz parte do dia a dia de profissionais da saúde.[2] A prevalência de *burnout* (BO) na população médica é alarmante, alcançando 70,1% em determinados contextos,[1] e suas consequências não passam despercebidas, incluindo desde o declínio profissional na performance dos médicos, influência em problemas de relacionamentos pessoais e profissionais, uso abusivo de álcool e até ideação suicida.[4] Apesar de sua grande importância, a empatia tem potenciais consequências negativas para os profissionais de saúde, além de algumas limitações se não bem trabalhada.

Este capítulo tem como objetivo entender as diferenças entre empatia e compaixão, como essas diferenças influenciam o olhar para as relações entre profissionais de saúde, pacientes e familiares, e como podem acrescentar em muito nos cuidados com pacientes e com os próprios profissionais que fazem do cuidado seu dia a dia.

A compaixão deveria estar no núcleo do treinamento médico, deveria ser treinada e exercitada, principalmente em médicos que trabalham com pacientes com doenças incuráveis, em estágios avançados, explicitando seu significado e os processos necessários para que isso possa ser aplicado no contexto clínico.[5] Entretanto, com frequência observamos um déficit de compaixão na relação médico-paciente. A cura da doença sem o cuidado com o componente humano causa sofrimento, não só para os pacientes, mas para médicos e familiares.[5,6] Atualmente, educadores e médicos percebem que o processo de cura se dá não somente por meio do conhecimento da doença e aplicação desse conhecimento técnico, mas também da coordenação de informações, trabalho em equipe e do próprio cuidado humano como médico.

Observando o contato médico-paciente, é possível observar uma influência direta de uma relação mais harmônica impactando o tempo de recuperação do paciente. A literatura sugere que médicos que demonstram um comportamento mais amigável e reconfortante são mais eficazes na abordagem e condução de seu paciente.[7] Tal comportamento permite também que os pacientes se sintam mais propensos a expressar seus sintomas e falar de suas preocupações, facilitando a anamnese, levando a uma melhor acurácia diagnóstica e melhor planejamento do cuidado, além de auxiliar o paciente no ganho ou resgate de sua autonomia e maior participação do próprio cuidado na terapia.[2]

Empatia e Trabalho Emocional

Ajudar os outros faz parte do cotidiano de pais, cuidadores, professores e profissionais da área da saúde. A estes, empatia é uma habilidade fundamental. Em diversos trabalhos desenvolvidos pela Association of American Medical Colleges para o *Medical School Objectives Project* sugeriu-se que escolas médicas deveriam educar seus médicos de maneira altruísta, de modo que sejam "compassivos e empáticos no cuidado com os pacientes". Como educadores, somos responsáveis por nutrir essa caraterística tão fundamental tanto a pacientes quanto a médicos, o que certamente se caracteriza como um desafio para as mudanças pelas quais os cursos de medicina vêm passando.[8]

Empatia pode ser definida como sentir com o outro, perceber o mundo por meio de sua perspectiva. É "sentir por (ou junto de) outra pessoa e entender seus sentimentos".[9] Há várias definições na literatura médica sobre empatia. De acordo com Rogers, a empatia contém um componente cognitivo (observação e processamento mental), um componente afetivo (sensibilidade) e um componente comunicativo (comportamento de cuidador).[8,10,11] Theresa Wiseman definiu empatia como contendo quatro características fundamentais:
1. Ver o mundo como os outros veem;
2. Compreender os sentimentos de outra pessoa;
3. Não julgar; e
4. Comunicar a compreensão.

Poderíamos definir mais especificamente, de acordo com Shanafelt, que empatia é "a habilidade de escutar o paciente, entender sua perspectiva e simpatizar com sua experiência, expressando compreensão, respeito e apoio".[4]

Independentemente da definição, dos escores ou instrumentos utilizados para avaliar a empatia, sabemos que ela é fundamental à prática de uma medicina mais humana. Entretanto, o estabelecimento de uma relação empática não é tarefa simples, a própria graduação pode levar a uma diminuição da empatia em estudantes de medicina. Em 2005, Belini mostrou uma diminuição da empatia nos critérios preocupação empática (*Empathic Concern*) e tomada de perspectiva (*Perspective Taking*), que se mantiveram abaixo do padrão populacional ao longo da residência. Outro estudo da mesma autora mostrou níveis de empatia abaixo do esperado para a população. Hojat et al. apontaram uma importante redução da empatia em estudantes de medicina a partir do terceiro ano, quando ocorre uma maior participação em atividades com pacientes e a empatia seria mais essencial.[12] Curiosamente, em estudantes de enfermagem mostrou-se uma natureza estável da empatia ao longo da formação, possivelmente relacionada a escores muito altos de empatia desde o início do estudo.[13] Outro fator de grande impacto na relação médico-paciente é a diversidade de mudanças no aspecto econômico da prática médica, tanto no Sistema Único de Saúde (SUS) quanto na saúde suplementar, e mudanças organizacionais para oferta de serviços de saúde. Dentre elas, podemos citar desde o menor tempo de que médico e paciente dispõem para a consulta até as demandas (de ambas as partes) por exames subsidiários para o diagnóstico, supervalorizando a tecnologia em detrimento da relação médico-paciente.[10]

Antecedentes, tais como o contexto clinico e as características individuais de médicos e pacientes, afetam as ações dos médicos e podem interferir no desenvolvimento de uma relação empática.[2] Davis e colegas propuseram que o comportamento social tem impacto nos resultados sociais tanto no médico quanto no paciente, por exemplo na sensação de solidão e ansiedade, por meio da modificação da percepção destes.[14] De maneira similar, as habilidades de comunicação do médico e o estilo social apresentam impacto direto na satisfação do paciente e nos resultados de saúde. Isso é condizente com achados de que a empatia resulta em melhores desfechos de tratamento.[7] O comportamento social afeta como médicos se sentem sobre o próprio trabalho, de modo que a relação médico-paciente não é benéfica somente para os pacientes. A sensação de conexão com os pacientes é fundamental para os médicos na sua procura por significado e propósito na própria vida. Alguns procuram receber atenção ou desempenhar o papel de autoridade que as pessoas lhes concedem, bem como ter a sensação de serem necessários, ambos encontrados nas relações transpessoais com pacientes, de modo que a satisfação pessoal dos médicos pode ser influencianda positivamente por comportamentos empáticos. Entretanto, engajar-se empaticamente tem seus perigos: as reações emocionais, principalmente por envolverem sofrimento pessoal, podem sobrecarregar os esforços para controle da comunicação, contribuindo para o BO. Os efeitos intra e interpessoais da relação médico-paciente são tanto imediatos quanto cumulativos. Em outras palavras, para o paciente, os comportamentos sociais demonstrados pelo mesmo médico possuem efeitos imediatos no momento da entrevista e ao longo do seguimento; para médicos, são seus próprios comportamentos que influenciam sua satisfação e probabilidade de BO.[2]

Apesar de mais estudos serem necessários para confirmação, as pesquisas que avaliam a influência da empatia na comunicação apoiam consistentemente o conceito de que indivíduos com maior capacidade de tomar a perspectiva do paciente (inferindo seus pensamentos, intenções ou motivos), ou simplesmente uma maior disposição à empatia, são capazes de estabelecer uma comunicação melhor do que aqueles sem essas habilidades.[2]

E o que é Trabalho Emocional? Hochschild cunhou a expressão trabalho emocional em seu livro *The Managed Heart: Commercialization of Human Feeling*, detalhando o controle exercido pelas organizações sobre a vida emocional de fornecedores de serviços. Certas organizações demonstraram que é possível direcionar o processo de transações interpessoais de seus trabalhadores e clientes para um serviço efetivo com melhores resultados (lucros), adotando regras de conduta que ditam a expressão de certas emoções que acompanham situações específicas. Uma abordagem psicológica define trabalho emocional como o processo de regular a experiência e a demonstração de emoções de modo a apresentar uma imagem profissional desejável em transações interpessoais durante o trabalho. A empatia engloba processos internos e externos de administração emocional. Para um profissional de saúde, o trabalho emocional utiliza recursos psicológicos para gerar mudanças cognitivas e afetivas, com o objetivo de projetar uma imagem empática para o paciente. De enfermeiras, por exemplo, espera-se que tenham um comportamento acolhedor e tolerante com os pacientes, entretanto, foi documentado que muitas vezes elas lidam com o estresse do trabalho emocional distanciando-se.[2]

Vale ressaltar que, em nenhum momento, a empatia se propõe a incluir julgamentos morais. Nisso existe sua crítica, é possível inclusive sentir empatia mesmo por pessoas que sentem prazer em fazer mal aos outros ou cometeram algum delito. Somos expostos a isso quando temos diante de nós algum paciente que cometeu algum crime, e felizmente são diversos os exemplos de como a capacidade médica de sentir empatia e compaixão por outros seres humanos, de cuidar, de diminuir o sofrimento não invalida o sentimento. A empatia pode tomar formas emocionantes ao colocar as pessoas em contato com o sofrimento alheio e a motivação em cuidar daqueles que sofrem, independente de julgamentos, muitas vezes superando nossas próprias limitações.

O cultivo dessa habilidade requer paciência, curiosidade e vontade de adentrar a mente e o mundo do paciente. Ao mesmo tempo, a imersão no mundo do paciente e a sensação empática de sua dor, se feitas em excesso, podem interferir na objetividade do diagnóstico e do tratamento. O termo "distanciamento compassivo" tem sido utilizado para descrever a preocupação empática do profissional de saúde com o paciente enquanto mantém uma distância suficiente para manter o equilíbrio emocional.[11]

Burnout

Em relatório publicado pelo Cremesp em 2012, mostrou-se que a mortalidade entre médicos pode ocorrer em faixas etárias inferiores às da população geral de mesma condição socioeconômica. Segundo o Instituto Brasileiro de Geografia e Estatística (IBGE), em 1980 a esperança de vida das mulheres era de 65,7 anos e em 2009 passou para 77,0 anos. Para homens, a expectativa de vida avançou de 59,6 anos para 69,4 anos no mesmo período. Em contrapartida, outros estudos demonstram que a idade média de morte entre médicas foi de 59,2 anos e para os médicos a média foi de 69,1 anos. Apesar de serem denominadores diferentes, tais dados sugerem que alguns aspectos do estilo de vida desses profissionais estejam influenciando no perfil de mortalidade.[15]

Dentre as possíveis causas, encontra-se o *burnout*, que poderia ser definido como um comprometimento emocional e comportamental resultante da exposição a altos níveis de estresse ocupacional. O conceito é de que BO resulta de uma incompatibilidade crônica e não resolvida entre recursos do trabalhador e a demanda associada ao trabalho. Uma combinação de características individuais, sociais, laborais e organizacionais bem estabelecidas influencia o desenvolvimento do BO.[16] Em geral, indivíduos que estão em risco de um BO têm algum nível de perfeccionismo e sentem-se culpados ao não realizarem o que gostariam ou do modo como gostariam.[1] A literatura descreve a alta prevalência de suicídios, depressão, uso de substâncias psicoativas, estresse e BO em médicos, bem como altos índices de estresse e depressão em residentes de medicina,[15] provavelmente de modo secundário à rotina do médico, geralmente orientado para um objetivo, o que poderia causar um desequilíbrio extremo em situações relacionadas ao trabalho.[1]

Um número substancial de estudos em BO abrangendo uma ampla gama de profissões foi publicado, e recentemente isso ganhou bastante atenção da mídia desde a primeira descrição.[1] A prevalência de BO em médicos americanos é maior do que a encontrada na população americana em geral, 37,9 *versus* 27,8%, respectivamente, com maiores riscos de exaustão emocional, 31,2% *versus* 23,5% e despersonalização, 19,4% *versus* 15%.[4] Em uma meta-análise observando profissionais que trabalham em UTI, foram identificados maior prevalência de fadiga por compaixão (que neste capítulo será tratada por fadiga empática), variando entre 7,3% a 40%; estresse pós-traumático secundário, de 0% a 38,5%; e de BO, de 0% a 70,1%.[1] Apesar de as principais causas de morte entre os médicos seguirem distribuição semelhante à da população geral, suicídios e mortes violentas aparecem em maior proporção nessa classe de profissionais. A taxa de mortalidade bruta por suicídio nesse grupo foi de 3,5 por 10 mil médicos cadastrados no Cremesp, enquanto na população geral brasileira essa taxa é de 3,8 para cada 100 mil habitantes, sendo mais prevalente entre mulheres, representando 3,1% do total de óbitos, comparado a 1,6% do total de óbitos de homens. Talvez a alta taxa de suicídios seja consequência de um maior sucesso na tentativa de suicídio, dado o conhecimento técnico adequado para tal.[15]

A prevalência de BO também varia dentro da própria população médica, atingindo uma razão de chance comparativa à população de controle americana de 1,36 ($p < 0,01$). Médicos trabalham em média 10 horas semanais a mais (50 vs 40), com cerca de 38% dos médicos trabalhando mais do que 60 horas semanais. Vale ressaltar que foi encontrada uma razão de chances para risco de BO de 1,02 para cada hora a mais trabalhada por semana. Médicos que trabalham na linha de frente, em serviços de urgência e emergência, ou com especialidades de primeiro contato e triagem, como clínica médica, neurologia e medicina da família, apresentam maiores riscos do que a média, com uma razão de chances de até 3,18 para clínica médica e de 1,41 para medicina de família.[4]

A síndrome do BO contempla três componentes: exaustão emocional, cinismo ou despersonalização e falta de senso de realização pessoal (ou eficácia profissional), que se desenvolve em resposta a estresse ocupacional crônico.[10] Exaustão se refere à sensação de estar emocionalmente drenado e fisicamente exausto. O cinismo caracteriza uma relação distante e insensível perante seu trabalho. E a falta de eficácia profissional se refere a sentimentos de inadequação e incompetência associados a perda da autoconfiança. De acordo com essa definição, o BO pode ser identificado e avaliado por meio do Inventário de BO de Maschland, mas existem outros instrumentos propostos, como o BO Measure, o Shirom-Melamed BO Measure e o Oldeburg BO Inventory.[10]

Entre médicos e enfermeiros de UTI, o BO parece ser resultado de uma demanda alta e contínua do ambiente de trabalho, com profissionais de UTI afetados emocionalmente por problemas de fim de vida, tomada ética de decisões, contato contínuo com o sofrimento dos pacientes, cuidados médicos desproporcionais ou fúteis, falta de comunicação e alta demanda por parte dos familiares e pacientes.[1]

◀ **Quadro 16.1.** Fatores associados a maiores índices de *Burnout*

Individuais	Laborais
• Indivíduos competitivos, esforçados, com dificuldade de tolerar frustração • *Locus* de controle externo • Indivíduos empáticos, sensíveis e com alto grau de envolvimento • Pessimismo, sofrendo por antecipação • Indivíduos controladores • Grande expectativa e idealismo em relação à profissão • Indivíduos passivos • Mulheres apresentam mais exaustão emocional • Homens apresentam mais despersonalização	• Sobrecarga, ultrapassando a capacidade de desempenho • Baixo nível de controle sobre atividades ou decisões sobre mudanças • Expectativas profissionais incompatíveis com aspectos reais do trabalho • Sentimento de injustiça e inequidade • Trabalho em turnos ou noturno • Suporte organizacional precário ou conflito entre colegas • Ocupação como cuidador • Responsabilidade sobre a vida de outrem • Conflitos/ambiguidade do cargo
Sociais	**Organizacionais**
• Falta de suporte social e familiar • Manutenção do prestígio social em oposição a redução salarial de determinada profissão • Valores e normas culturais	• Excesso de burocracia • Falta de autonomia • Normas institucionais rígidas • Mudanças organizacionais frequentes • Falta de confiança, respeito e consideração entre membros da equipe • Comunicação ineficiente • Estagnação profissional • Risco de ambiente físico • Acúmulo de tarefas

Adaptado a partir de Trigo, 2010.

As consequências do BO vão além da dimensão pessoal do médico e da satisfação do paciente com o atendimento: a despersonalização e a exaustão médicas também estão associadas a um maior tempo de recuperação após a hospitalização.[17]

Fadiga por Compaixão/Fadiga Empática

A fadiga por compaixão foi definida como um estado de sofrimento físico ou psicológico em cuidadores, que ocorre como consequência de um processo contínuo e cumulativo de uma relação exigente com indivíduos carentes. Foi associada à "síndrome do cuidador". É comum a sensação de falta de amparo perante o sofrimento de pacientes entre médicos que trabalham com doenças graves.[18] A fadiga por compaixão foi descrita, nesse sentido, como a perda de compaixão como resultado de uma exposição contínua ao sofrimento alheio no ambiente de trabalho. Posteriormente, foi definida como estresse traumático secundário, resultante de um envolvimento profundo com uma pessoa, principalmente traumatizada, devido à adoção de uma postura "mais amigável". Consiste em duas partes: a primeira parte envolve problemas como exaustão, frustração e depressão, tipicamente associados ao BO; a segunda parte abrange o sentimento negativo conduzido por preocupações como hipervigilância, evasão, medo e intrusão, características de estresse pós-traumático secundário.[1]

Compaixão

A palavra latina que lhe deu origem significa "sofrer junto de", mas pode ser definida amplamente como uma preocupação que surge quando vemos o sofrimento alheio e desejamos que ele acabe ou, ao menos, seja aliviado. Talvez a essência do trabalho médico se resuma à compaixão, a perceber e sentir o sofrimento do outro e, a partir disso, se motivar a resolvê-lo pelos meios possíveis dentro de cada especialidade: por meio de procedimentos, por meio de medicamentos muitas vezes, mas principalmente (como este livro gostaria de sugerir) oferecendo uma presença sincera na hora de comunicar uma má notícia. Uma comunicação de más notícias eficiente não se limita, ou não deveria se limitar, a comunicar a má notícia simplesmente. Os protocolos de comunicação têm em sua essência a percepção de que a dor e o sofrimento podem ser aliviados durante a comunicação, tornando possível diminuir o impacto da notícia e permitindo que o paciente encontre apoio no médico, ainda que a má notícia seja algo potencialmente incurável, ou irreversível, como a morte. A empatia do protocolo Spikes nos permite estar junto com o paciente em seu sofrimento, a compaixão encontra meios de aliviá-lo. A compaixão se recusa a considerar o sofrimento, qualquer que seja, como algo indiferente. Empatia é sentir por (ou junto de) outra pessoa e entender seus sentimentos, sobretudo quando a testemunhamos sofrendo. A compaixão surge a partir da empatia, acrescentando a ela a vontade de que o sofrimento seja aliviado ou eliminado, bem como o desejo de fazer algo a respeito. É mais um estado de empoderamento do que apenas uma resposta empática a uma situação, permitindo que a nossa reação empática se manifeste no modo de bondade.[9] A compaixão é um sentimento horizontal, só tem sentido entre iguais, ou antes, e melhor, ela realiza essa igualdade entre aquele que sofre e aquele (ao lado dele e, portanto, no mesmo plano) que compartilha do seu sofrimento. Mas, ao contrário da sensação de desamparo, "não poderá existir também uma espécie de compaixão, se não alegre, pelo menos positiva, que seria menos sofrimento suportado do que disponibilidade atenta, menos tristeza do que solicitude, menos paixão do que paciência e escuta?". Nesse sentido, não há piedade sem uma parte de desprezo; não há compaixão sem respeito.[19]

Alguns experimentos sugerem que compartilhamos emoções com os outros baseados em uma rede neuronal que representa a experiência de nossas próprias emoções, ativando a região da ínsula anterior e o cingulado medial anterior. Essas duas regiões são, num primeiro momento, associadas a relatos subjetivos de desconforto.[5] Entretanto, quando observadas reações que envolvem a compaixão, os centros neurais ativados diferem, incluindo centros relacionados a afeto positivo, afiliação, amor romântico e maternal, tais como regiões do córtex medial orbitofrontal, putâmen e *palllidum*.

De acordo com Matthieu Ricard, a experiência de sentir o sofrimento dos outros torna-se rapidamente insuportável, levando a exaustão emocional. Profissionais de saúde são expostos continuamente a sofrimento, seja ele físico ou emocional, e a experiência recidivante de ressonância empática pode induzir emoções aflitivas, predispondo esses profissionais ao BO. Entretanto, na perspectiva de primeira pessoa do próprio Matthieu Ricard, ele sugere que a compaixão pode ser um método eficaz de superar esse sofrimento, uma estratégia que vem sendo cada vez mais estudada por cientistas como uma proposta protetora contra o BO, e que também seria capaz de beneficiar o outro ao aumentar o comportamento de ajuda (*helping behavior*).[5]

Talvez caiba aqui uma ressalva quanto à literatura médica. Fala-se muito sobre fadiga por compaixão quando o assunto é o sofrimento emocional desencadeado pelo encontro repetido com o sofrimento alheio. Seguindo a linha de raciocínio de Matthieu Ricard, Tania Singer e tantos outros cientistas que estudam compaixão, essa definição talvez seja inadequada, pois a própria natureza da compaixão contradiz essa premissa. O desejo de aliviar o sofrimento alheio em nada se relaciona ao sofrimento. A experiência daqueles que cultivam a compaixão é oposta, é de afeto mesmo perante o sofrimento alheio, sem que isso impacte de modo negativo a capacidade de cuidar. Talvez seja como Andre Comte-Sponville fala em seu *Pequeno tratado das grandes virtudes*: a crítica da compaixão se dá quando a percebemos como piedade, que poderia ser definida como "*uma tristeza que sentimos diante da tristeza do outro, o que não salva esta, que continua, nem justifica aquela, que se acrescenta a esta. A piedade apenas aumenta a quantidade de sofrimento no mundo, e é isso que a condena*".[19] Ao contrário da empatia, que pode se limitar a sentir junto com o outro, sem que sejamos capazes de perceber quaisquer possibilidades de aliviar o sofrimento, a compaixão, e por isso sua grande importância, é a "oportunidade de reagir ao sofrimento, e é o que conecta a empatia a atos de bondade, generosidade e outras expressões de tendências altruístas".[19]

Portanto, talvez seja mais adequado falar em fadiga empática do que de fadiga por compaixão, levando em conta essa percepção. A diferença entre empatia e compaixão não se dá somente na definição: são emoções diferentes, que ativam centros neurais diversos e estão relacionadas a motivações distintas, com consequências para a saúde e para o bem-estar subjetivo que poderiam ser contrapostas.

A compaixão e a bondade nos libertam do confinamento sufocante de nossos próprios interesses, permitindo a sensação de que fazemos parte de algo maior, colocando a vida em perspectiva de uma maneira mais positiva e otimista. A satisfação resultante de uma atitude altruísta pode auxiliar a percepção de um propósito de vida, livrando-nos do estresse do julgamento e das preocupações em relação a nós mesmos. A compaixão torna nossa carga pessoal mais leve, colocando nossos problemas em perspectiva e nos dando a sensação de que não estamos sozinhos.

Compaixão no Contexto Clínico

(Baseado no modelo A.B.I.D.E., por Joan Halifax.)[20]

Aparentemente, existem duas categorias de compaixão: a compaixão referencial ou enviesada e a sem referencial ou universal, ambas fundamentais para a relação médico-paciente.

O modelo que percebe a compaixão como possuindo um aspecto de cuidado com alguém que está sofrendo e que toma isso como uma motivação para aliviar o sofrimento pode ser visto como uma definição estreita, pois não leva à segunda categoria de compaixão. A compaixão universal, sem objeto, permeia a mente do sujeito, como uma maneira de ser.

O modelo de Halifax parte do pressuposto de que a compaixão é um processo emergente e contingente, inter-relacional e mútuo, recíproco e assimétrico, dependente do contexto e de outros fatores. Essa percepção da compaixão permite consequências importantes no contexto clínico em relação à intervenção G.R.A.C.E. (Gathering attention, Recalling intention Attuning to self/other; Considering; Engaging), desenvolvida para uma interação baseada em compaixão na relação médico–paciente.

Em 2012, Halifax criou um modelo de treinamento para ética baseado em compaixão, comunicação e intervenções contemplativas.[6]

Modelo de compaixão A.B.I.D.E.

O modelo é dividido em três áreas interdependentes de experiências que têm como objetivo o aparecimento de compaixão num processo não compassivo. O eixo A/A, que gera equilíbrio de atenção e afetivo; o eixo I/I, refletindo o domínio cognitivo e que se relaciona ao cultivo de Intenção e *Insight* que apoia o discernimento; e o eixo E/E, processos incorporados (*embodied*) e engajados que apoiam repostas engajadas à presença de sofrimento e que nutrem um embasamento Ético, Eudemonia e Equanimidade.

Eixo A/A e equilíbrio atencional

As experiências de atenção e afeto apoiam o equilíbrio mental, levando recursos de processamento mental para um objeto. Para reconhecer o sofrimento em si mesmo e em outros é fundamental o equilíbrio da atenção, e não é possível imaginar compaixão sem que haja uma atenção estável. Uma atenção estável é autossustentável, vívida e sem esforço, não reativa, livre de julgamentos, não se retrai perante fenômenos desagradáveis e não se apega a resultados esperados. Essa habilidade permite perceber o processo cognitivo de modo embasado e equilibrado, para que a própria atenção se mantenha livre de pressupostos, julgamentos e reatividade.

Pesquisas mostraram que o treinamento de habilidades de atenção por meio de meditação resultou numa menor suscetibilidade aos efeitos de eventos que desencadeiem emoções na performance de tarefas, sugerindo que o equilíbrio emocional melhora a habilidade de perceber a realidade de modo livre de julgamentos, incluindo a própria realidade do sofrimento.[21] Tal habilidade é fundamental para a presença de compaixão no cuidado com aqueles sofrendo por doenças incuráveis e progressivas, ou quando fornecendo cuidado compassivo a familiares e colegas que estejam com dificuldades quanto a assuntos relativos a sofrimento e ao processo de morte.

Eixo A/A e equilíbrio afetivo

Para médicos, bondade e equanimidade (ou imparcialidade) são processos essencialmente associados à compaixão. Bondade é caracterizada pela sensibilidade em relação a outros, combinada com preocupação genuína. Equanimidade é o processo de estabilidade ou equilíbrio mental, caracterizado pela compostura mental e aceitação no momento presente. A equanimidade também apoia a empatia, possibilitando uma sintonia com o outro e, dependendo da habilidade de regular sua reação aos estímulos, pode ser capaz de gerar bondade. Tais habilidades, quando combinadas, permitem um maior controle emocional, auxiliando a capacidade de tomada de decisões com mais clareza e discernimento, mesmo em situações associadas a emoções negativas. Num contexto de fase final de vida, em que emoções profundas e questões existenciais vêm à tona, esse equilíbrio emocional abre espaço para benefícios tanto para médicos quanto para pacientes.

Eixo I/I e intenção ética pró-social e *insight*

É fundamental para o clínico saber regular suas respostas emocionais sem que se perca em evasão, abandono, apatia ou indignação moral quando em contato com sofrimento. A habilidade de guiar sua própria mente de acordo com uma intenção e estabilizar o contínuo mental para ter *insight* quanto ao sofrimento, sua origem e como transformá-lo.

◀ Intenção

A intenção de transformar o sofrimento é uma das características que distingue a compaixão da empatia. Do ponto de vista da compaixão, a intenção é um ponto-chave para o cultivo dessa característica mental. O embasamento moral de não fazer mal, de fazer o bem e ajudar os outros, fundamental à medicina, dá origem à motivação de transformar o sofrimento nos outros e em si mesmo. Ainda que com uma motivação altruísta, reações aversivas podem aparecer, a depender do contexto. É fundamental sobrepor reações habituais e engajar-se em uma avaliação realista e positiva, aprendendo como regular reações, ou mudar comportamentos que sejam prejudiciais, como abandonar o paciente, revolta moral, ou simplesmente tornar-se apático perante o sofrimento de pacientes, familiares e colegas. Isso é feito por meio da experiência de autopercepção através do *insight* e apoiado pela intenção de diminuir o sofrimento do paciente e de todos os envolvidos.

◀ *Insight*

O *Insight* apoia a perspectiva metacognitiva e fluidez mental, robustez e autonomia. Nessa dimensão cognitiva, a autopercepção, incluindo a consideração de memórias, pode levar a *insights* sobre a natureza da realidade e fomentar a reavaliação e supressão, caso necessária, quando em serviço daqueles em processo de morte. Também pressupõe a tomada ou sincronia cognitiva, permitindo a compreensão da experiência do outro, tanto colega como paciente ou familiar. De maneira complementar, esse eixo pode nutrir o *insight* da distinção entre o outro e eu mesmo, um referencial-chave para a compaixão, ou a compaixão com um objeto.

Outra dimensão é a de que, engajado no processo compassivo, o reconhecimento de seu embasamento moral (o que inclui um referencial de como nos relacionamos com o mundo e o senso de moralidade) permite o desenvolvimento de caráter. O *insight* quanto à impermanência e interconectividade é essencial como modo de compreensão de que todos os seres, em algum nível, gostariam de ser felizes e livres do sofrimento. Um aspecto final é a importância de que não haja fixação em um resultado, pois mesmo que a compaixão tenha a aspiração de transformar o sofrimento, caso haja a fixação nesse resultado, isso pode ser a causa de sofrimento se as expectativas forem irreais. O médico deve procurar sempre aliviar o peso da doença, da dor e do sofrimento ao mesmo tempo que tem a humildade de aceitar os limites do tratamento e a sequência de eventos que podem fugir a seu controle.

Eixo E/E e engajamento ético e incorporação

O eixo E/E é composto dos processos somáticos que permitem o aparecimento de três pontos: virtude moral, equanimidade e eudaemonia. O eixo é baseado no processo de estabelecer mente, corpo e ambiente como contexto um para o outro e para que estes sejam meios para a geração da incorporação de uma dimensão intersubjetiva, mútua, fundamentada e interativa com a compaixão.

◀ Incorporação

A incorporação pode ser considerada a fonte da sensação do sofrimento alheio por meio da ressonância com a experiência intersubjetiva, na qual a experiência do outro parece como se estivesse acontecendo no próprio corpo. É vista como uma base sólida para uma vida compassiva, interativa, engajada e prática. A experiência prática revela direta e indiretamente como a mente e o ambiente estão inter-relacionados num processo dinâmico de coemergência. Aqui percepção, cognição e ação (ou engajamento) dão espaço para a experiência subjetiva de integração com o mundo.

◀ Engajamento e resposta para o sofrimento

Aqui a experiência do corpo em possuir uma disposição à ação no ambiente funciona como a base para a geração de compaixão.

Uma mente pronta para encontrar o mundo em resposta ao sofrimento, engajada de maneira equânime, apoia a compreensão de que a impermanência e a manutenção das coisas estão em pé de igualdade. Essa compreensão é acompanhada de eudaemonia, traduzida do grego e que significa o exercício da bondade humana e da moralidade, como florescimento humano e felicidade; outro potencial resultado da compaixão.

A compaixão é um processo que brota de diversos processos atencionais, afetivos, cognitivos e incorporados ou somáticos interdependentes, todos os quais podem ser treinados no contexto clínico. Isso não seria possível sem equilíbrio emocional, sem uma intenção ética ou *insight* (incluindo o *insight* sobre a distinção entre si mesmo e o outro). A compaixão é um processo incorporado e engajado, que permite a transformação de relações com sofrimento. A partir desse modelo, Halifax definiu uma intervenção que possibilita a geração de compaixão por médicos, sumarizando os fatores descritos acima.

O modelo **G.R.A.C.E.** (Quadro 16.2) é uma intervenção contemplativa desenhada para nos lembrar de estar abertos à experiência do outro e nos mantermos centrados na presença de sofrimento para poder gerar compaixão e empatia saudáveis.[20]

◀ **Quadro 16.2.** Modelo G.R.A.C.E. de abordagem compassiva para profissionais da saúde

Gather your Atention (Concentre sua Atenção)
Pause, respire, esteja presente, trazendo a atenção ao seu corpo para estabilizar sua mente. Você pode focar na sua respiração, por exemplo, ou no corpo, com suas mãos tocando uma a outra. Use esse momento para interromper seus pressupostos e expectativas.
Recall your intention (Retome sua Intenção)
Lembre-se do real significado do seu serviço aos outros: aliviar o sofrimento e agir com integridade, preservando a integridade do outro. Lembre-se da sensação de por que você escolheu aliviar o sofrimento de outros e servir nesse sentido. Esse "estalo" pode ocorrer num momento. Sua motivação mantém você no caminho, com uma base moral, conectado ao paciente e a seus valores.

Continua

Continuação

Attune by checking in with yourself, then the other: **(Sintonize-se consigo mesmo e a seguir com o outro)**
Perceba o que está acontecendo com seu corpo e mente. Tome o tempo necessário. Então entre na experiência do outro. É um processo de testemunhar e questionar, primeiro envolvendo a sí mesmo, depois o outro.   Dê atenção a seu próprio estado somático, o que o corpo está sentindo neste momento. Mude sua atenção para sua sobrecarga cognitiva, e perceba quais pensamentos estão presentes. Note quais vieses estão agindo.   Agora, sinta aquilo que a pessoa pode estar experimentando. Sinta sem julgamento. Como a pessoa está vendo a situação dela e sentindo você? Abra um espaço em que o encontro pode se desenvolver, no qual você esteja presente para o que quer que possa brotar, em você e no outro. Como você nota o outro, como você o reconhece, como essa pessoa nota você e reconhece você, tudo constitui um modo de troca mútua que permite o desenvolvimento.
Consider what will really serve by being truly present with another and letting insights arise.   **(Reflita sobre o que seria de fato útil estando verdadeiramente presente com o outro e permitindo que os *insights* venham à tona.)**
Conforme o encontro se desenrola, perceba o que o outro pode oferecer neste momento. O que ele está sentindo, vendo, aprendendo? Pergunte-se: o que vai realmente ser produzido aqui?   Use da sua expertise, conhecimento e experiência e, ao mesmo tempo, esteja aberto de uma maneira leve.   Os *insights* que você tiver podem não pertencer à categoria de coisas familiares. Não tire conclusões precocemente.

Continua

Continuação

Engage and Enact. Allow for the emergence of the next step.   **(Envolva-se a aja. Permita o surgimento do próximo passo.)**
Termine o encontro.   **Parte 1**   Ações compassivas aparecem da sensação de abertura, conexão e discernimento que você criou. Essa ação pode ser uma recomendação, uma questão aberta sobre valores, ou mesmo uma proposta de como passar o tempo que resta com essa pessoa.   Você cocria uma dinâmica com a pessoa, baseada moralmente na situação, caracterizada pela mutualidade, confiança e condizente com seus valores e ética. Você usa como fontes sua expertise, intuição, *insight*, e procura um campo comum, condizente com seus valores e que apoia a integridade mútua.   O que surge é baseado na compaixão: respeito mútuo de todas as pessoas envolvidas, bem como prático e acionável. Essas aspirações não precisam ser completadas, pode haver conflitos mais profundos nos objetivos e valores que precisam ser abordados dessa posição de estabilidade e discernimento.   **Parte 2**   Termine. Marque o fim da interação relaxando, soltando-se, expirando. Explicitamente, reconheça internamente que o encontro acabou, para que você possa se mover livremente para a próxima pessoa ou tarefa. Esse reconhecimento pode ser marcado pela atenção à sua expiração.   Embora o próximo passo possa ser mais do que você acredita ser possível ou desapontadoramente pequeno, perceba isso, e dê valor ao seu trabalho. Sem dar valor ao seu trabalho será mais difícil soltar esse encontro e seguir em frente.

Adaptado de Halifax, 2013.[20]

Autocompaixão

O modo como lidamos como nossas falhas, quando as coisas dão errado, com dificuldades típicas da vida rotineira, envolve colocar a culpa em nós mesmos, acrescentando mais dor ao processo. Mas e se agíssemos conosco do mesmo modo compassivo como agimos quando algum ente querido ou algum amigo próximo comete algum erro? E se, numa atitude corajosa, enfrentarmos o mal que fazemos a nós mesmos ao nos agredirmos, nos esforçarmos além dos nossos limites, nos colocarmos em patamares irrealistas de perfeição?

A autocompaixão é definida de maneira simples como a compaixão direcionada a si mesmo. Pode ser dividida em três componentes:
1. Bondade;
2. Senso em comum de humanidade; e
3. Atenção plena.

Esses três componentes interagem para criar a autocompaixão.

Bondade

A nossa cultura põe bastante ênfase em sermos bondosos com nossos amigos, família ou vizinhos quando estes estão passando por problemas, mas nem tanto quando se trata de nós mesmos. Quando cometemos algum erro, ou se falhamos de algum modo, é mais provável que nos culpemos do que nos ofereçamos apoio. E quando nossos problemas derivam de problemas externos a nosso controle, com frequência nos fixamos no problema, muito mais do que em nos confortarmos. A bondade direcionada a nós mesmos contrapõe essa tendência, para que sejamos compreensivos conosco mesmos quando percebemos nossas limitações, ao invés de sermos excessivamente críticos.

Humanidade comum

O senso de humanidade comum é central para a autocompaixão e envolve o reconhecimento de que todos os seres humanos têm suas falhas e estão em um processo ativo e contínuo de aprendizado. Todos erram, falham e apresentam comportamentos disfuncionais. Com frequência, nos sentimos isolados ou separados dos outros quando consideramos nossas dificuldades ou limitações pessoais, reagindo de maneira irracional, como se erro e dor fossem aberrações. Esse não é um processo lógico, é uma visão em túnel na qual perdemos de vista a perspectiva humana e focamos exclusivamente nas nossas dificuldades. Com a autocompaixão somos capazes de ter um olhar mais amplo e inclusivo, reconhecendo que os desafios da vida fazem parte da experiência humana, permitindo-nos a sensação de estarmos mais conectados e menos isolados quando sentimos dor.

Atenção plena (*Mindfulness*)

De acordo com Kristin Neff, atenção plena (*mindfulness*) significa estar presente no momento e sentir de uma maneira clara e balanceada. Envolve estar experimentalmente aberto à realidade, aceitando os pensamentos e sensações, e estar consciente sem julgamento, evasão ou repressão. É um componente da compaixão, pois para se oferecer compaixão é necessário reconhecer o sofrimento e, apesar de parecer óbvio, muitas pessoas não reconhecem o quanto de dor estão passando, principalmente quando a dor deriva de sua autocrítica. Quando somos confrontados com problemas, geralmente entramos no modo de resolução de problemas, muitas vezes para evitar a tomada de consciência do quanto estamos sofrendo naquele momento. A atenção plena contrapõe essa tendência, permitindo que tenhamos contato com a realidade da nossa experiência, mesmo quando esta é desagradável. Isso não significa nos identificarmos em excesso com tais sensações negativas, de modo a evitar que sejamos carregados pelas reações aversivas, mas sim permitir uma tomada de perspectiva mais objetiva, e mais sábia muitas vezes, em relação a nós mesmos e a nossa própria vida. Nas tradições contemplativas, atenção plena tem o sentido de "manter em mente", de lembrar-se. No contexto da auto-compaixão, poderia significar lembrar-se de ser gentil consigo mesmo, lembrar-se de que somos humanos e estamos sujeitos a errar, e principalmente lembrar-se de abandonar atitudes duras, injustas e irreais com relação a si mesmo.

A autocompaixão nos dá a força emocional e a resiliência que permitem a superação de egos machucados, de modo que podemos admitir nossos limites, nos perdoar e reagir conosco e com os outros com cuidado e respeito. Afinal de contas, errar é humano.

Não quero dizer com isso que devemos caminhar para extremos. O narcisismo, por exemplo, exagera nossas necessidades, considerando-as superiores às dos demais, e limita o cuidado com o outro. No outro extremo está a autopiedade, que considera nossas falhas piores que as dos outros, tornando todos os problemas esmagadores e insuportáveis, sem que possamos relativizá-los e encará-los de modo construtivo. Há ainda a autogratificação, que confunde querer algo com precisar – também nos martirizando por querermos coisas ou deixando-nos levar por um agrado.[9] Também não estou falando de autoestima, que merece um pouco mais de discussão.

A autoestima é o modo como nos avaliamos positivamente ou negativamente, e não há problema algum em se perceber de um modo positivo. O modo como conseguimos elevar a autoestima e como a mantemos é o que a diferencia da autocompaixão. Para manter a autoestima elevada, algumas pessoas se comportam de maneira disfuncional, por meio de preconceito, narcisismo ou diminuindo outras pessoas. Além disso, parecem ser necessários alguns fatores como inteligência, popularidade ou aparência, flutuando de acordo com o nosso último sucesso ou fracasso, e a partir disso nos reavaliarmos. Na compaixão, as pessoas não precisam ser especiais ou acima da média para se sentirem bem. As pessoas sentem compaixão por si mesmas simplesmente pelo fato de serem humanas. Ou deveriam sentir. A compaixão persiste onde a autoestima falha, quando nos sentimos inadequados ou erramos.

A autocompaixão oferece uma maior estabilidade emocional quando comparada com a autoestima, pois está sempre presente, independentemente de altos e baixos, de sucessos ou fracassos, da nossa autoavaliação positiva ou negativa dependente das circunstâncias, da comparação com outros ou se alcançamos os padrões ou atendermos às expectativas. Ela surge da bondade consigo mesmo em cenários de sofrimento e enquadrando a experiência à luz da condição humana compartilhada, frágil e imperfeita como ela é. A autocompaixão apoia e dá a inspiração que precisamos para fazermos as mudanças necessárias para alcançarmos plenamente todo o nosso potencial.

Bibliografia

1. Van Mol MMC, Kompanje EJO, Benoit DD, Bakker J, Nijkamp MD, Seedat S. The prevalence of compassion fatigue and BO among healthcare professionals in intensive care units: A systematic review. PLoS ONE 2015; 10(8), 1-22. https://doi.org/10.1371/journal.pone.0136955.

2. Larson EB, Yao X. Clinical empathy as emotional labor. JAMA: The Journal of the American Medical Association 2007; 293(9), 1100-1106.
3. Amoafo E, Hanbali N, Patel A, Singh P. What are the significant factors associated with BO in doctors? Occupational Medicine. Oxford, England, 2015; 65(2), 117-121. https://doi.org/10.1093/occmed/kqu144.
4. Shanafelt TD, Boone S, Tan L, Dyrbye LN, Sotile W, Satele D, Oreskovich MR. BO and satisfaction with work-life balance among US physicians relative to the general US population. Archives of Internal Medicine 2012; 172(18), 1377-1385. https://doi.org/10.1001/archinternmed.2012.3199.
5. Singer T. Ebook: Compassion Bridging Practice and Science. Journal of Chemical Information and Modeling 2013. (Vol. 53). https://doi.org/10.1017/CBO9781107415324.004.
6. Halifax J. A heuristic model of enactive compassion. Current Opinion in Supportive and Palliative Care 2012; 6(2), 228-235. https://doi.org/10.1097/SPC.0b013e3283530fbe.
7. Blasi Z Di, Kleijnen J. Context effects: Powerful Therapies or Methodological Bias? Evaluation & Health Professions 2003; 26(2), 166-179. https://doi.org/10.1177/0163278703252254.
8. Sulzer SH. Feinstein NW, Wenland C. Assessing empathy development in medical education: a systematic review. Med Educ 2016; 50(3), 300-310. https://doi.org/10.1111/medu.12806.Assessing.
9. Jinpa T. Um coração sem medo. Rio de Janeiro: Sextante, 2016.
10. Bianchi R, Schonfeld IS, Laurent E. BO-depression overlap: A review. Clinical Psychology Review2015; 36, 28-41. https://doi.org/10.1016/j.cpr.2015.01.004.
11. Hojat M, Gonnella JS, Nasca TJ, Mangione S, Vergare M, Magee M. Physician empathy: Definition, components, measurement, and relationship to gender and specialty. American Journal of Psychiatry 2002; 159(9), 1563-1569. https://doi.org/10.1176/appi.ajp.159.9.1563.
12. Hojat M, et al., 2009.
13. Bellini LM, Shea JA. Mood change and empathy decline persist during three years of internal medicine training. Academic Medicine 2005; 80(2), 164-167. https://doi.org/10.1097/00001888-200502000-00013.
14. Davis MH. A multidimensional approach individual differences in empathy. Journal of Personality and Social Psychology 1983; 44(1), 113-126. https://doi.org/10.1037/0022-3514.44.1.113.
15. Estudo da mortalidade dos médicos. (2012), 1-43.
16. Trigo TR. Validade fatorial do Maslach BO em uma amostra brasileira de auxiliares de enfermagem de um hospital universitário: influência da depressão. Tese de Mestrado à FMUSP, 2010.
17. Halbesleben JRB, Rathert C. Linking physician BO and patient outcomes: Exploring the dyadic relationship between physicians and patients. Health Care Management Review 2008; 33(1): 29-39. https://doi.org/10.1097/01.HMR.0000304493.87898.72.
18. Back AL; Rushton CH; Kaszniak AW, Halifax JS. "Why are we doing this?": Clinician helplessness in the face of suffering. Journal of Palliative Medicine 2015; 18(1), 26-30. https://doi.org/10.1089/jpm.2014.0115.
19. Comte-Sponville A. Pequeno tratado das grandes virtudes. 1 ed. São Paulo: Martins Fontes, 1995.

20. Halifax J. G.R.A.C.E. for nurses: Cultivating compassion in nurse/patient interactions. Journal of Nursing Education and Practice 2013; 4(1), 121-128. https://doi.org/10.5430/jnep.v4n1p121.
21. Ortner CNM, Kilner SJ, Zelazo PD. Mindfulness meditation and reduced emotional interference on a cognitive task. Motivation and Emotion 2007; 31(4), 271-283. https://doi.org/10.1007/s11031-007-9076-7.

Índice Remissivo

A

Acidente vascular cerebral, 114
Adoecimento, 9
Atenção
 física, 25, 26
 plena, 211
ATENTE, técnica, 80
Autocompaixão, 209
Autonomia, 11
Avaliação dos reflexos do tronco encefálico, 100

B

Bem-estar espiritual, 39
Beneficência, 12, 13
Biodireito, 10, 11
Bioética, 10
Bondade, 210
Burnout, 192, 196, 197

C

Canais do processo da comunicação, 32
Câncer, 84
Catolicismo, 51
Cerco do silêncio, 18, 177
Cinestesia, 26
Código de Nuremberg, 10
Compaixão, 191, 192, 200
 no contexto clínico, 203
Comunicação de más notícias, 2, 127
 assertiva e clara, 182
 da doação de órgãos, 103
 da morte, 178
 em pronto-socorro, 80
 do falecimento, 178
 eficaz, barreiras para uma, 31, 33
  estrutura de saúde, 36
  pacientes e seus familiares, 34
  profissionais de saúde, 35
 em oncologia, 83
 em transtornos psiquiátricos, 161
 na emergência médica, 75, 76
 na fase final de vida, 171
 na morte encefálica, 93, 102
 não verbal, 24, 25, 29
 no ambiente de pronto-socorro, 79
 papel da equipe multiprofissional na, 181
 tarefas-chave, 3
 técnicas de, 23, 25
 verbal, 24
Conflitos
 entre familiares e equipe médica, 90
 éticos, 17
Conspiração do silêncio, 177
Coping religioso, 46
Crença no milagre, 47, 48

D

Declaração Universal dos Direitos Humanos, 10
Definição imprecisa dos objetivos do tratamento, 71
Demências, 108, 109
Dependência química, 167
Desordens neurodegenerativas, 107
Dimensões da comunicação, 24
Dinâmica familiar e equipe de saúde, 72
Diretivas antecipadas de vontade, 16
Distanásia, 14
Distorção, 32
Doação de órgãos, 93, 103
  com doador vivo, 93
Doença(s), 9
  cardíacas e pulmonares, 123
  de Alzheimer, 107
  infecciosas, 147
  neurológicas, 107
  valvar, 133

E

Eixo
  A/A e equilíbrio
    afetivo, 204
    atencional, 204
  E/E engajamento ético e incorporação, 206
  I/I e intenção ética pró-social e *insight*, 205
Eletroencefalograma (EEG), 100
Emergência, 76
Emoções, 72
Empatia, 25, 26, 193, 201
Enfermagem, 184
Engajamento, 206
Epidemias, 147
Epilepsia, 116
Escala
  de desempenho de Zubrog (ECOG), 86
  de Hunt e Hess, 115
  de Karnofsky, 86
  de Performance Paliativa (PPS), 87, 88
  de Performance status de Zubrod (ECOG), 87
Esclerose
  lateral amiotrófica, 113
  múltipla, 107
Escuta empática, 25
Espiritualidade, 39, 40, 41
Esquizofrenia, 164
Estenose aórtica, 134
Ética em cuidados paliativos, 9
Eutanásia, 14
Exame neurológico cranianos, morte encefálica, 101
Exemplificando, 6

F

Fadiga
  empática, 200
  por compaixão, 200
Falecimento, 178
Fase terminal, 171
Fé, 51
Ferramenta(s)
  de apoio clínico e pouco úteis na comunicação, 174
  EMPATHY, 29
Fisioterapia, 185
Frei Roberto Ishara, 51

G

Gaps de informação, 71

H

Habilidades-chave, 6
Humanidade comum, 210

I

Incorporação, 206
Índice de Religiosidade da Universidade Duke, 45
Infecção pelo HIV, 148, 149
  autoimagem, 152
  dieta, 152
  efeitos adversos da terapia antiviral, adaptação e personalização, 150
  em idosos, 154
  ganho de peso, 152
  limitações e hábitos, 152
  períodos do tratamento da, 152
  qualidade de vida, 150
  sigilo, 151
  sobrevida dos pacientes com, 149
Insight, 205
Instrumento de Qualidade de Vida da Organização Mundial da Saúde Módulo Espiritualidade, Religiosidade e Crenças Pessoais (WHOQOL-SRPB), 42
Insuficiência cardíaca, 124
Intenção, 205
Islamismo, 54

K

Kardecismo, 56

L

Lei do carma, 50
Lesão medular aguda, 118
Luiz Armando, 56

M

Más notícias, 23, 33
Medicina, 182
Mentira piedosa, 18
Mindfulness, 211
Modelo
  de compaixão A.B.I.D.E, 203
  G.R.A.C.E., 207
Monja Waho Degenszajn, 49
Morte, 9, 178
  em pronto-socorro, 80
  encefálica, 93, 102
    comunicação da, 102
    diagnóstico de, 95, 96
  natural, sinais e sintomas do processo ativo da, 175

N

Não maleficência, 13

O

Objective Structured Clinical Evaluation (OSCE), 6
Omissão, 32
Oncologia, 83
Ortotanásia, 14

P

Parada cardiorrespiratória, 136

Paralinguagem, 26
Pastor Bruno Oliveira, 60
Princípio
  da autonomia, 11
  da beneficência ou não maleficência, 12
Processo de doação-transplante de órgãos, 93
Protestantismo, 60
Protocolos de comunicação, 26
  ABCDE, 28
  BREAKS, 28
  SPIKES, 27, 165
Proxemia, 26
Psicologia, 188

Q

Quatro nobres verdades, 49

R

Reflexo
  corneano, 101
  de tosse, 101
  fotomotor, 101
  oculocefálico, 101
  oculovestibular, 101
Reformulação empática, 26
Relação da equipe com o paciente e/ou cuidador, 72
Relatório de Belmont, 10
Religião, 40
Religiosidade, 41
  extrínseca, 44
  intrínseca, 44
Resposta para o sofrimento, 206
Reunião familiar, 65, 66, 102

como conduzir, 68
conflitos, 71
documentação, 70
momento da, 69
planejamento, 70
preparação, 68
Role-play, 6
Ruído, 32

S

Sheikh Mohamad Khalil, 54
Síndrome
  coronariana aguda, 141
  do *burnout*, 197
Sobrecarga, 32
Sofrimento, 49, 54
Suicídio assistido, 14

T

Tarefas-chave de comunicação com o paciente, 3
Técnicas de comunicação, 23, 25
Testamento vital, 16, 17
Teste de apneia, 101
Trabalho emocional, 193, 195
Transitoriedade, 49
Transtornos psiquiátricos, 161
Treinamento em comunicação na formação em psiquiatria, 163
Tuberculose, 156

Z

Zazen, 49
Zen-budismo, 49